D0489432

10|18
12, avenue d'Italie — Paris XIIIe

Sur l'auteur

Considéré comme l'un des plus grands auteurs britanniques, Graham Greene est né le 2 octobre 1904 à Berkhamsted en Angleterre. Après des études au Balliol College d'Oxford, il travaille pendant quatre ans comme rédacteur adjoint au *Times*. En 1929 paraît son premier roman, *L'Homme et lui-même*, bientôt suivi par *Orient-Express* (1932), *C'est un champ de bataille* (1934), *Mère Angleterre* (1935). Il fait la guerre comme agent de renseignements en Sierra Leone. Ses nombreux déplacements vont nourrir son œuvre : *Le Fond du problème* (1948), *Un Américain bien tranquille* (1955), *Notre agent à La Havane* (1958). Romancier, nouvelliste, homme de théâtre, essayiste, engagé sur le plan politique et religieux, Greene a aussi travaillé pour le cinéma, adaptant ses œuvres à l'écran, écrivant des scénarios, dont ce grand classique du film noir, *Le Troisième Homme* (1949). Décoré de l'ordre du Mérite anglais et nommé Companion of Honour, Graham Greene est mort en Suisse en avril 1991.

UN AMÉRICAIN BIEN TRANQUILLE

PAR

GRAHAM GREENE

Traduit de l'anglais
par Marcelle SIBON

« Domaine étranger »
dirigé par Jean-Claude Zylberstein

LAFFONT

Du même auteur
aux Éditions 10/18

Titre original :
The Quiet American

ISBN 2-264-03794-6

Cher René et chère Phuong,

Je vous ai demandé la permission de vous dédier ce livre, non seulement en souvenir des heureuses soirées que j'ai passées avec vous à Saigon, au cours des cinq dernières années, mais aussi parce que j'ai, sans la moindre vergogne, emprunté d'abord l'emplacement de votre appartement pour y loger un de mes personnages et aussi votre prénom, Phuong, pour la commodité de mes lecteurs, parce qu'il est simple, beau, et facile à prononcer, ce qu'on ne pourrait pas dire de tous les prénoms de vos compatriotes. Vous verrez tous les deux que je n'ai guère emprunté que cela : certainement aucun personnage vivant au Viet-nam. Pyle, Granger, Fowler, Vigot, Joe... n'ont pas d'originaux à Saigon ou à Hanoï, et le général Thé est mort, d'une balle dans le dos, paraît-il. L'ordre même des événements historiques a été modifié : par exemple, la grosse bombe qui a éclaté près du Continental a précédé, et non suivi, les bombes des bicyclettes. Je n'ai pas de scrupules à faire ces petits changements. Je raconte une histoire, je n'écris pas un ouvrage historique, et j'espère que l'aventure de ces quelques personnages imaginaires vous aidera tous les deux à passer une des chaudes soirées de Saigon.

Affectueusement à vous.

Graham Greene

I do not like being moved : for the will is excited ;
[and action
Is a most dangerous thing ; I tremble for something
[factitious,
Some malpractice of heart and illegitimate process ;
We're so prone to these things, with our terrible
[notions of duty.

A.H. Clough[1].

This is the patent age of new inventions
For killing bodies, and for saving souls,
All propagated with the best intentions.

Byron[2].

---

1. Je n'aime pas l'émotion ; elle excite la volonté
Et toute action est chose fort dangereuse ; je tremble à l'idée
D'une contrefaçon, d'un méfait du cœur, d'un cheminement
[illégitime ;
Nous sommes si portés à cela par notre redoutable sens du devoir.
2. Cet âge est spécialisé dans les inventions nouvelles
Destinées à tuer les corps et à sauver les âmes,
Toutes propagées avec les meilleures intentions.

Première partie

Chapitre premier

Après le dîner, assis dans ma chambre de la rue Catinat, j'attendais Pyle. Il m'avait dit : « Je serai chez vous à dix heures au plus tard » ; quand minuit eut sonné, je ne pus plus rester immobile et je descendis dans la rue. Un groupe de vieilles femmes en pantalon noir étaient accroupies sur le palier : on était en février et je suppose qu'elles avaient trop chaud pour regagner leur lit. Un conducteur de cyclo-pousse pédalait lentement en direction des quais du fleuve et j'apercevais des lampes allumées à l'endroit où l'on avait débarqué la dernière livraison d'avions américains. Pas le moindre signe de Pyle dans la longue rue.

Bien entendu, me disais-je, il a pu être retenu à la légation des États-Unis, pour une raison ou pour une autre, mais, dans ce cas, il n'aurait pas manqué de téléphoner au restaurant : il observait méticuleusement les petites courtoisies. J'allais rentrer chez moi quand je vis une jeune femme qui attendait sous l'entrée de la maison voisine. Je ne distinguais pas son visage, seuls étaient visibles le pantalon de soie blanche et la longue tunique fleurie, mais je la reconnus néanmoins. Elle avait si souvent attendu mon retour à ce même endroit et à cette même heure !

— Phuong, dis-je (ce nom signifie Phénix, mais rien n'est fabuleux à notre époque et rien ne renaît de ses cendres).

Je savais, avant qu'elle ait eu le temps de me répondre, qu'elle attendait Pyle.

— Il n'est pas ici.

— *Je sais. Je t'ai vu seul à la fenêtre*[1].

— Tu ferais mieux d'attendre en haut, dis-je. Il ne va pas tarder.

— Je peux l'attendre ici.

— Ce n'est pas prudent. Tu vas te faire ramasser par la police.

Elle me suivit jusque chez moi. Je pensai à plusieurs plaisanteries ironiques et désagréables que je pourrais faire, mais ni son anglais ni son français n'étaient assez bons pour qu'elle pût en saisir l'ironie et, chose étrange, je n'avais aucun désir de la faire souffrir, ni même de me faire souffrir. Quand nous atteignîmes le palier, toutes les vieilles femmes tournèrent la tête et dès que nous fûmes passés leurs voix s'élevèrent et sombrèrent, comme si elles chantaient en chœur.

— Que racontent-elles ?

— Elles se figurent que je reviens.

Dans ma chambre, l'arbre que j'avais installé plusieurs semaines auparavant, pour le Nouvel-An chinois, avait perdu presque toutes ses fleurs jaunes. Elles étaient tombées entre les touches de ma machine à écrire. Je les en extirpai.

— *Tu es troublé*, dit Phuong.

— Cela m'étonne de lui. Il est toujours si ponctuel.

J'ôtai ma cravate et mes chaussures et je m'allongeai sur le lit. Phuong alluma le poêle à gaz et mit l'eau à bouillir pour le thé. Cela aurait pu se passer six mois auparavant.

— Il a dit que tu allais partir bientôt, dit-elle.

---

1. Les mots et les phrases en italique sont en français dans le texte.

— Peut-être.

— Il t'aime beaucoup.

— Je l'en dispense, dis-je.

Je vis qu'elle avait changé de coiffure, ses cheveux noirs et raides rejetés simplement sur les épaules. Je me rappelai qu'un jour Pyle avait critiqué sa façon compliquée de se coiffer qui – pensait-elle – convenait à la fille d'un mandarin. Je fermai les yeux et la retrouvai semblable à ce qu'elle était autrefois : elle était le sifflement de la vapeur, le cliquetis des tasses, elle était une certaine heure de la nuit, une promesse de repos.

— Il ne va pas tarder, dit-elle, comme si j'avais besoin d'être rassuré sur l'absence de Pyle.

Je me demandai de quoi ils parlaient ensemble : Pyle prenait tout très au sérieux et il m'avait infligé ses conférences sur cet Extrême-Orient qu'il connaissait depuis autant de mois que moi d'années. La démocratie était un de ses autres dadas, et il avait des notions précises et exaspérantes sur ce que les États-Unis avaient fait et faisaient encore pour le monde. Phuong, d'autre part, était merveilleusement ignorante ; si le nom de Hitler avait été cité dans une conversation, elle l'aurait interrompue pour demander qui il était. L'explication eût été d'autant plus difficile qu'elle n'avait jamais vu d'Allemands, ni de Polonais, et ne possédait qu'une connaissance très vague de la géographie de l'Europe ; mais il va sans dire qu'elle était mieux renseignée que moi sur la princesse Margaret.

Je l'entendis poser un plateau au pied du lit.

— Est-il toujours amoureux de toi, Phuong ?

Lorsqu'on couche avec une Annamite, on a l'impression d'avoir un oiseau dans son lit : elles gazouillent et pépient sur l'oreiller. Je me rappelle avoir longtemps pensé que nulle de leurs voix ne chantait comme celle de Phuong. J'avançai la main et lui touchai le bras. Leurs os, en outre, sont aussi frêles que des os d'oiseaux.

— Réponds, Phuong.

Elle rit et j'entendis qu'elle frottait une allumette.

— Amoureux ?

Peut-être était-ce une expression qu'elle ne comprenait pas.

— Veux-tu que je te prépare une pipe ? demanda-t-elle.

Quand je rouvris les yeux, elle avait allumé la lampe et le plateau était déjà dressé. La lueur de la lampe mettait sur sa peau des reflets d'ambre sombre, tandis qu'elle penchait sur la flamme un front que fronçait l'attention, pour chauffer la petite boule d'opium en faisant tourner son aiguille.

— Pyle ne fume toujours pas ? lui demandai-je.

— Non.

— Tu devrais le faire fumer, sinon il ne reviendra pas.

C'est une superstition chez elles qu'un amant fumeur d'opium revient toujours, fût-ce de France. Il se peut que la puissance virile soit diminuée par l'opium, mais elles préfèrent toutes un amant fidèle à un amant puissant. Elle malaxait la petite boule de pâte brûlante sur le bord convexe du fourneau de la pipe et je humais l'odeur de la drogue. Aucune autre odeur ne lui ressemble. À côté du lit, mon réveil marquait minuit vingt, mais déjà mon angoisse cédait. Pyle commençait à disparaître. La lampe éclairait le visage de Phuong préparant la longue pipe, penchée sur sa besogne avec l'attention grave qu'elle aurait mise à soigner un enfant. J'aimais ma pipe ; près d'un mètre de bambou droit, avec de l'ivoire à chaque extrémité. Aux deux tiers de la longueur, le fourneau, semblable à un volubilis renversé, son bord convexe poli et noirci par le fréquent malaxage de l'opium. Et soudain, d'un tour de main rapide, elle enfonçait l'aiguille dans la minuscule cavité, dégageait l'opium et retournait le bol sur la flamme, en maintenant la pipe stable pour que je puisse fumer. La perle d'opium grésilla doucement, régulièrement, quand j'aspirai.

Le fumeur expérimenté peut aspirer une pipe entière d'un seul souffle, mais il me fallait toujours tirer plusieurs fois. Je me laissai aller ensuite en arrière, la nuque sur le coussin de cuir, pendant qu'elle préparait une seconde pipe.

— Tu sais, dis-je, en réalité c'est clair comme le jour. Pyle sait que je fume quelques pipes avant de me coucher, il ne veut pas me déranger. Il passera dans la matinée.

L'aiguille plongea de nouveau et j'aspirai ma seconde pipe. En la reposant, je dis :

— Il n'y a pas de raison pour s'inquiéter. Pas la moindre raison.

J'avalai une gorgée de thé et glissai la main sous l'aisselle de Phuong.

— Quand tu m'as quitté, continuai-je, heureusement que j'ai pu me rabattre sur cela. Il y a une bonne fumerie dans la rue d'Ormay. Comme nous faisons des embarras à propos de rien, nous autres Européens ! Tu ne devrais pas vivre avec un homme qui ne fume pas, Phuong.

— Mais il va m'épouser. Bientôt.

— Bien sûr, ça, c'est une autre question.

— Veux-tu que je te prépare encore une pipe ?

— Oui.

Je me demandai si elle consentirait à coucher avec moi cette nuit-là en supposant que Pyle ne vienne pas. Mais je savais qu'après avoir fumé quatre pipes je n'aurais plus envie d'elle. Naturellement, ce serait agréable de sentir sa cuisse contre moi dans le lit : elle dormait toujours sur le dos ; et le matin, en m'éveillant, je pourrais commencer la journée par une pipe, au lieu de me retrouver seul en face de moi-même.

— Pyle ne viendra plus maintenant, dis-je. Reste ici, Phuong.

Elle me tendit la pipe en secouant la tête. Mais quand j'eus aspiré l'opium, sa présence ou son absence importaient très peu.

— Pourquoi Pyle n'est-il pas ici ? demanda-t-elle.

— Comment le saurais-je ?

— Est-il allé voir le général Thé ?

— Je l'ignore.

— Il m'a dit que, s'il ne pouvait pas dîner avec toi, il viendrait ici.

— Ne te tourmente pas. Il va venir. Prépare-moi encore une pipe.

Lorsqu'elle se pencha sur la flamme, le poème de Baudelaire me traversa l'esprit : *Mon enfant, ma sœur*... Qu'est-ce qui vient ensuite ?

Aimer à loisir,
Aimer et mourir,
Au pays qui te ressemble.

Dehors, le long du quai, dormaient les vaisseaux, « *dont l'humeur est vagabonde* ». Je pensai que si je respirais la peau de Phuong, je lui trouverais un faible parfum d'opium et sa couleur était celle de la petite flamme. J'avais vu les fleurs de sa robe s'épanouir au bord des canaux dans le Nord. Elle était de son pays autant qu'une plante indigène, et moi, je n'avais pas la moindre envie de rentrer dans le mien.

— Je voudrais bien être à la place de Pyle, dis-je tout haut.

Mais ma souffrance était limitée et supportable. L'opium veillait à cela. On frappa à la porte.

— Pyle, dit-elle.

— Non. Ce n'est pas sa façon de frapper.

On frappa de nouveau, avec impatience. Elle se leva vivement, dérangeant l'arbre jaune qui se remit à joncher ma machine à écrire de ses pétales. La porte s'ouvrit.

— Monsieur Foulaire ? appela une voix impérieuse.

— Je suis Fowler, dis-je.

Je n'allais pas me lever pour un agent de police. Je voyais son short kaki sans bouger la tête.

Il m'expliqua dans un français-vietnamien presque incompréhensible qu'on me demandait immédiatement, tout de suite, très vite... à la Sûreté.

— La Sûreté française ou vietnamienne ?

— Française.

Dans sa bouche, le mot devenait « frungncése ».

— À quel propos ?

Il ne savait pas. Il avait reçu l'ordre de venir me chercher.

— *Toi aussi*, dit-il à Phuong.

— Dites : *vous*, quand vous parlez à une dame, dis-je. Comment saviez-vous qu'elle était ici ?

Il me répéta simplement qu'il obéissait aux ordres.

— J'irai dans la matinée.

— *Sur le chung*, dit le petit personnage net et obstiné.

Il était inutile de discuter. Je me levai et mis ma cravate et mes chaussures. Dans ce pays, les gens de la police ont toujours le dernier mot ; ils pouvaient m'enlever mon ordre de circulation, ils pouvaient m'interdire l'entrée aux conférences de presse, ils pouvaient même, si la fantaisie leur en venait, me refuser mon visa pour quitter le pays. Telles étaient les méthodes légales appliquées au grand jour ; mais la légalité n'est pas essentielle dans un pays en guerre. Je connaissais un homme qui avait brusquement et inexplicablement perdu son cuisinier ; il avait pu retrouver sa trace jusqu'à la Sûreté vietnamienne, mais là les policiers lui avaient affirmé qu'il avait été remis en liberté après interrogatoire. La famille du cuisinier ne le revit jamais ; peut-être s'était-il affilié aux communistes ; peut-être avait-il été enrôlé dans une des armées privées qui florissaient autour de Saigon : les Hoa Haos, les caodaïstes, ou les troupes du général Thé. Peut-être était-il dans une prison française. Peut-être faisait-il joyeusement fortune comme souteneur à Cholon, le faubourg chinois. Peut-être son cœur avait-il flanché, au cours de l'interrogatoire.

— Je n'y vais pas à pied, dis-je. Vous serez forcé de me payer un cyclo-pousse.

Il fallait garder sa dignité.

C'est pourquoi je refusai la cigarette que m'offrait l'officier français à la Sûreté. Après trois pipes, je me sentais l'esprit clair et actif : il prenait ces petites décisions facilement, sans perdre de vue le problème principal : que me voulaient-ils ? J'avais déjà rencontré Vigot, plusieurs fois, dans des réceptions. Je l'avais remarqué parce qu'il paraissait absurdement amoureux de sa femme, une fille d'un blond artificiel et tapageur, qui se conduisait comme s'il n'existait pas. Cette nuit-là, à deux heures du matin, fatigué et déprimé, il était assis dans la chaleur accablante, au milieu de la fumée des cigarettes ; ses yeux étaient protégés par une visière verte et, pour passer le temps, il avait ouvert un volume de Pascal qui était posé sur son bureau. Quand je refusai de le laisser interroger Phuong sans moi, il céda immédiatement, avec un soupir qui exprimait à lui seul toute sa lassitude : il était las de Saigon, de la chaleur, ou de la condition humaine tout entière.

— Je regrette beaucoup, dit-il en anglais, mais j'ai été forcé de vous faire demander de venir.

— On ne me l'a pas demandé, dis-je. On m'en a donné l'ordre.

— Oh ! ces agents indigènes ! Ils ne comprennent pas. (Ses yeux demeuraient fixés sur une page des *Pensées*, comme si ces argumentations désolées l'absorbaient encore.) Je voulais vous poser quelques questions... au sujet de Pyle.

— Pourquoi ne les lui posez-vous pas à lui-même ?

Il se tourna vers Phuong et l'interrogea en français, d'un ton bref.

— Depuis combien de temps vivez-vous avec M. Pyle ?

— Un mois... je ne sais pas, répondit-elle.

— Combien d'argent vous a-t-il donné ?

— Vous n'avez pas le droit de lui demander cela, dis-je. Elle n'est pas à vendre.

— Elle a vécu avec vous, n'est-ce pas ? demanda-t-il brutalement. Pendant deux ans.

— Je suis un correspondant de presse qui est censé faire le reportage de votre guerre. N'attendez pas de moi que je collabore en même temps à votre chronique scandaleuse.

— Que savez-vous au sujet de Pyle ? Répondez à mes questions, s'il vous plaît, monsieur Fowler. C'est contre mon gré que je vous les pose, mais ceci est sérieux. Croyez-moi, je vous en prie, c'est très sérieux.

— Je ne suis pas un mouchard. Tout ce que je pourrais vous dire sur Pyle, vous le savez. Âge : trente-deux ans, attaché à la Mission d'aide économique, nationalité américaine.

— Vous semblez être un ami à lui, dit Vigot, regardant Phuong par-dessus ma tête.

Un agent de police indigène entra, portant trois tasses de café noir.

— Aimeriez-vous mieux du thé ? demanda Vigot.

— Je suis vraiment son ami, dis-je. Pourquoi pas ? Je vais rentrer chez moi un de ces jours, n'est-ce pas ? Je ne peux pas emmener cette petite. Elle sera très bien, avec lui. C'est un arrangement raisonnable. Il dit même qu'il va l'épouser. Il en est capable, vous savez. C'est un brave type à sa façon. Sérieux. Pas une de ces brutes qui font du boucan au Continental. Un Américain tranquille, résumai-je pour le définir, comme j'aurais dit : un lézard bleu, un éléphant blanc.

— Oui, dit Vigot, un Américain bien tranquille.

Son regard semblait chercher sur son bureau des mots qui lui serviraient à s'exprimer avec autant de précision que je l'avais fait. Il était là, dans cette petite pièce étouffante, à attendre que l'un de nous se mît à parler. Un moustique se lança à l'attaque en vrombissant. Je guettais Phuong. L'opium vous rend l'esprit prompt, peut-être simplement parce qu'il détend les nerfs et apaise les émotions. Rien, pas même la mort, ne semble important. J'eus l'impression que Phuong n'avait pas saisi le ton de Vigot, mélancolique et définitif. D'ailleurs, elle savait très peu d'anglais. Assise sur cette dure chaise officielle, elle attendait toujours Pyle, patiemment. Moi, je venais de renoncer à l'attendre, et je voyais que Vigot enregistrait ces deux attitudes.

— Comment aviez-vous fait sa connaissance ? me demanda Vigot.

Pourquoi expliquerais-je à Vigot que c'était Pyle qui avait fait ma connaissance ? En septembre dernier, je l'avais vu qui traversait la place et se dirigeait vers le Continental, nous décochant à tous comme une flèche son jeune visage si indiscutablement neuf. Avec ses longues jambes ballantes, ses cheveux passés à la tondeuse, son regard habitué aux vastes espaces du *campus*[1], il paraissait absolument inoffensif. Les tables de la terrasse étaient presque toutes occupées.

— Vous permettez ? m'avait-il demandé avec une politesse grave. Mon nom est Pyle. Je suis nouveau venu, ici.

Il avait replié son grand corps pour s'introduire dans un fauteuil et avait commandé de la bière. Tout à coup, il regarda en l'air, scrutant la dure lumière éblouissante de midi.

— Était-ce une grenade ? demanda-t-il, d'une voix pleine d'intérêt et d'espoir.

— Vraisemblablement un raté de moteur, dis-je avec une brusque pitié pour sa déception.

On oublie si vite sa propre jeunesse ! Je m'intéressais autrefois, moi aussi, à ce qu'on appelle les nouvelles, faute d'un mot plus exact. Mais les grenades avaient perdu pour moi tout intérêt ; elles étaient cataloguées à la dernière page du journal local : hier au soir, tel nombre à Saigon, tel nombre à Cholon ; elles n'arrivaient jamais jusqu'à la presse européenne. Tout le long de la rue défilaient les charmantes silhouettes plates : pantalons de soie blanche, longues tuniques serrées, à dessins roses et mauves, fendues jusqu'à la cuisse. Je les regardais passer avec

1. Parc où s'élèvent les divers édifices d'une université américaine.

la nostalgie que je ressentirais, je le savais, quand j'aurais quitté ces régions pour toujours.

— N'est-ce pas qu'elles sont ravissantes ? dis-je, par-dessus mon verre de bière.

Et Pyle leur lança un coup d'œil distrait tandis qu'elles remontaient la rue Catinat.

— Oh ! oui, dit-il avec un air d'indifférence (il était du genre réfléchi). Le ministre est très inquiet au sujet de ces grenades. Il dit que ce serait extrêmement gênant s'il arrivait quelque chose... à l'un de nous, je veux dire.

— À l'un de vous ? Ah ! oui, je suppose que ce serait sérieux. Votre Congrès n'aimerait pas cela du tout.

Pourquoi éprouve-t-on le besoin de taquiner les innocents ? Moins de dix jours auparavant peut-être, il avait traversé le parc, à Boston, les bras encombrés de livres qu'il se préparait à lire d'avance sur l'Extrême-Orient et les problèmes de la Chine. Il n'entendait même pas ce que je disais ; il était déjà absorbé par le dilemme de la démocratie et les responsabilités de l'Occident : il était résolu – je l'appris très vite – à faire du bien, non à une personne en particulier, mais à un pays, un continent, un monde. Eh bien ! maintenant, il était dans son élément avec l'univers entier à perfectionner.

— Est-il à la morgue ? demandai-je à Vigot.

— Comment savez-vous qu'il est mort ?

C'était une sotte question de policier, et elle était indigne de l'homme qui lisait Pascal, indigne aussi de l'homme qui vouait à sa femme un si étrange amour. On ne peut pas aimer sans intuition.

— Non coupable, dis-je.

Je me répétai que c'était vrai. Pyle n'allait-il pas toujours là où il lui plaisait ? Je me fouillai pour découvrir en moi un sentiment, fût-ce de la rancune envers ce policier soupçonneux, mais je n'y pus rien trouver. Seul Pyle était responsable. La mort n'est-elle pas le meilleur lot pour nous tous ? raisonnait l'opium dans mon cerveau. Mais je regardai Phuong avec précaution ; le coup était dur pour elle. Elle avait sûrement aimé Pyle à sa manière : malgré son affection pour moi, ne m'avait-elle pas quitté pour lui ? Elle s'était attachée à la jeunesse, à l'espoir, au sérieux, et voilà qu'ils tenaient moins bien leurs promesses que l'âge mûr et le désespoir. Elle restait immobile à nous regarder l'un et l'autre et je pensai qu'elle n'avait pas encore compris. Peut-être serait-il bon que je l'emmène avant qu'elle eût bien saisi la vérité. J'étais prêt à répondre à toutes les questions si je pouvais ainsi terminer rapidement l'interview en lui gardant son ambiguïté, afin d'apprendre la nouvelle à Phuong en tête à tête, loin du regard de ce policier, loin des chaises dures et du globe nu autour duquel tournoyaient les papillons de nuit.

— Quelles sont les heures qui vous intéressent ? demandai-je à Vigot.

— Entre dix-huit et vingt-deux heures.

— J'ai pris un verre au Continental à six heures. Les garçons s'en souviendront. À six heures quarante-cinq, je suis descendu jusqu'au quai pour voir décharger les avions américains. J'ai aperçu Wilkins des *Associated News* à côté de la porte du Majestic. Puis, je suis entré dans le cinéma, la porte à côté. Il est probable qu'ils se le rappelleront, ils m'ont rendu de la monnaie. De là, j'ai pris un pousse pour aller au Vieux-Moulin. J'y suis arrivé, je suppose, vers huit heures trente et j'ai dîné tout seul. Granger y était, vous pouvez le lui demander. Puis, j'ai pris un autre pousse pour rentrer, vers dix heures moins le quart. Ça ne doit pas être difficile de retrouver le conducteur. J'attendais Pyle à dix heures, mais il n'est pas venu.

— Pourquoi l'attendiez-vous ?

— Il m'a téléphoné. Il m'a dit qu'il voulait me voir pour une chose importante.

— Avez-vous une idée de ce que c'était ?

— Non. Tout était important aux yeux de Pyle.

— Et elle, son amie ? Savez-vous où elle était ?

— Elle l'attendait dehors à minuit. Elle était inquiète. Elle ne savait rien. Ne voyez-vous pas qu'elle l'attend encore ?

— Si, dit-il.

— Et vous ne croyez tout de même pas, sincèrement, que je l'ai tué par jalousie, à moins que ce ne soit elle, par... quoi ? Il allait l'épouser.

— Oui.

— Où l'avez-vous trouvé ?

— Il était dans l'eau sous le pont de Dakow.

Le Vieux-Moulin se trouve à côté de ce pont. Il y avait des policiers armés sur le pont et le restaurant était protégé contre les grenades par une grille de fer. Ce n'était pas sûr de traverser le pont la nuit, car l'autre rive du fleuve était tout entière entre les mains du Viet-minh, après la chute du jour. J'avais dû dîner à moins de cinquante mètres de son corps.

— L'ennui, dis-je, c'est qu'il s'occupait d'un tas de choses.

— Pour parler carrément, dit Vigot, je ne le regrette guère. Il faisait beaucoup de mal.

— Dieu nous protège, dis-je, des innocents et des justes.

— Des justes ?

— Eh ! oui. À sa manière. Vous êtes catholique romain. Sa manière vous échappe nécessairement. Et d'ailleurs, ça n'était jamais qu'un sale Amerloque.

— Cela vous ennuierait de l'identifier ? Je m'excuse. Routine. Pas très plaisante, comme routine.

Je ne pris pas la peine de lui demander pourquoi il n'attendait pas quelqu'un de la légation américaine, car je savais d'avance pourquoi. Les méthodes des Français paraissent un peu désuètes aux gens froids que nous sommes ; ils croient à la conscience, au sentiment de la culpabilité ; il faut mettre le criminel en face de son crime, pour voir s'il va s'effondrer et se trahir. Je me répétai une fois de plus que j'étais innocent, pendant que nous descendions l'escalier de pierre vers le sous-sol où ronronnait l'appareil frigorifique.

On en tira Pyle comme un plateau de cubes de glace, et je le regardai. Ses blessures gelées étaient placides.

— Vous voyez, dis-je, ma présence ne les fait pas rouvrir.

— Comment ?

— N'est-ce pas une des raisons de ma présence ? L'épreuve de ceci ou de cela ? Mais vous l'avez si bien congelé que c'est de la pierre. Ils n'avaient pas de frigo au Moyen Âge.

— Vous le reconnaissez ?

— Oh ! oui.

Il avait l'air plus dépaysé que jamais ; il aurait dû rester chez lui. Je l'imaginais dans un album de famille, photographié en train de parcourir à cheval un ranch ultrachic, de se baigner à Long Island, ou entouré de ses collègues dans quelque bureau du vingt-troisième étage. Il appartenait aux gratte-ciel, à l'ascenseur direct, aux crèmes glacées et aux dry Martini, au lait servi avec le rôti, et aux sandwiches au poulet dans le *Merchant Limited*[1].

— Il n'est pas mort de ça, dit Vigot, en me montrant une blessure à la poitrine. Il a été noyé dans la boue. Nous avons trouvé de la boue dans ses poumons.

— Vous travaillez vite.

— Il faut bien, sous un tel climat.

Ils repoussèrent le tiroir et fermèrent la porte. Le rebord de caoutchouc amortit le choc.

— En somme, vous ne pouvez pas nous aider ? demanda Vigot.

— Pas du tout.

Je retournai jusqu'à mon logement, à pied, avec Phuong : je ne me retranchais plus derrière ma dignité. La mort emporte toute vanité, même la vanité du cocu qui ne

1. Train entre Boston et New York.

doit pas montrer sa souffrance. Phuong ne se doutait toujours pas de ce qui s'était passé et j'ignorais la technique pour le lui dire graduellement et doucement. J'étais un correspondant de presse : je pensais en gros titres. « Fonctionnaire américain assassiné à Saigon. » Travailler pour un journal ne vous enseigne pas les ménagements à prendre pour annoncer à quelqu'un une mauvaise nouvelle. Même à ce moment-là il me fallut penser à mon papier et je lui demandai :

— Cela ne t'ennuie pas que je m'arrête au bureau du télégraphe ?

Je la laissai dans la rue, expédiai mon câble et la rejoignis. Ce n'était qu'un geste : je ne savais que trop bien que les correspondants français avaient déjà été informés, ou si Vigot avait joué le jeu (ce qui était possible), que les censeurs retiendraient mon télégramme jusqu'à ce que les Français eussent déposé les leurs. Mon journal recevrait d'abord la nouvelle datée de Paris. Non que Pyle fût très important. Pas moyen de câbler les détails de sa véritable carrière, de raconter qu'avant de mourir il avait été responsable de cinquante morts au moins, car les relations anglo-américaines auraient été compromises et le ministre absolument bouleversé. Le ministre avait un grand respect pour Pyle qui avait obtenu brillamment son diplôme de... oh bien ! une de ces choses pour lesquelles les universités américaines décernent des diplômes : « public relations », technique du théâtre, peut-être même études extrême-orientales (il avait lu des tas de livres).

— Où est Pyle ? demanda Phuong. Que voulaient-ils ?

— Rentrons à la maison, répondis-je.

— Est-ce que Pyle va venir ?

— Il a autant de chances de venir là qu'ailleurs.

Les vieilles femmes cancanaient toujours sur le palier, dans la fraîcheur relative. Dès que j'eus ouvert ma porte, je vis qu'on avait fouillé ma chambre : tout était beaucoup mieux rangé que je ne le laisse jamais.

— Une autre pipe ? demanda Phuong.

— Oui.

J'enlevai ma cravate et mes chaussures ; l'intermède était terminé. La nuit était presque semblable à ce qu'elle avait été au début. Phuong s'accroupit au pied du lit et alluma la lampe. *Mon enfant, ma sœur...* peau couleur d'ambre. *Sa douce langue natale*.

— Phuong, dis-je. (Elle malaxait l'opium sur le fourneau de la pipe.) Il est mort, Phuong.

Elle tenait l'aiguille à la main, les yeux levés vers moi comme un enfant qui essaie de se concentrer, le sourcil froncé.

— *Tu dis ?*

— Pyle est mort. Assassiné.

Elle posa l'aiguille et se redressa, assise sur ses talons, les yeux fixés sur moi. Il n'y eut pas de scène, pas de larmes, rien qu'une pensée... la longue pensée secrète d'un être qui doit changer tout le cours de sa vie.

— Il vaut mieux que tu restes ici ce soir, lui dis-je.

Elle acquiesça d'un signe de tête et, reprenant l'aiguille, se remit à chauffer la pâte. Cette nuit-là, je m'éveillai après un de ces sommes courts et profonds que procure l'opium : dix minutes qui sont toute une nuit de repos, et ma main avait retrouvé sa place nocturne habituelle, entre les cuisses de Phuong. Elle dormait et j'entendais à peine sa respiration. De nouveau, après tant de mois, je n'étais plus seul et pourtant je fus pris de colère, en me rappelant Vigot, et sa visière, le commissariat de police, et les corridors déserts et silencieux de la légation ; et, sentant sous ma main la douce peau épilée, je pensai : « Serais-je le seul qui ait eu vraiment de l'affection pour Pyle ? »

Chapitre 2

1

Le matin où Pyle arriva sur la place devant le Continental, j'en avais assez de mes confrères de la presse américaine, ces adultes infantiles, volumineux et tapageurs, débordants de plaisanteries aigres contre les Français, qui après tout sont ceux qui se battent dans cette guerre. Périodiquement, quand un engagement venait de se terminer, quand tout était en ordre, et le terrain débarrassé des blessés et des morts, ils étaient convoqués à Hanoï, à près de quatre heures de vol, écoutaient un discours du commandant en chef et passaient une nuit dans un camp de presse où, prétendaient-ils, le barman était le meilleur de toute l'Indochine ; on leur faisait survoler le champ de la dernière bataille à une hauteur de mille mètres (limite de la portée d'une mitrailleuse lourde) ; ils étaient ensuite ramenés sains et saufs, et débarqués au Continental, aussi bruyants qu'une troupe d'écoliers après un pique-nique.

Pyle était tranquille, il avait l'air modeste, parfois même ce premier jour je dus me pencher vers lui pour entendre ce qu'il disait. Et il était sérieux, très sérieux. À plusieurs reprises, il parut se contracter intérieurement en entendant le vacarme que faisait la presse américaine au-dessus de nous, sur la terrasse du premier étage, celle qui, selon la croyance populaire, est inaccessible aux grenades. Mais il ne critiquait personne.

— Avez-vous lu York Harding ? me demanda-t-il.

— Non. Non, je ne crois pas. Qu'est-ce qu'il écrit ?

Il fixa les yeux sur un milk-bar de l'autre côté de la rue et dit d'un air rêveur :

— Ça a l'air d'une bonne soda-fountain, là-bas.

Je me demandai de quels abîmes de nostalgie venait cet étrange choix parmi les choses à observer dans un spectacle aussi exotique. Mais, quand j'avais suivi pour la première fois la rue Catinat, n'avais-je pas remarqué tout d'abord la vitrine où se trouvaient des parfums Guerlain et ne m'étais-je pas réconforté en pensant qu'après tout l'Europe n'était qu'à trente heures de voyage ? Il détourna les yeux du milk-bar, à regret.

— York, dit-il, a écrit un livre appelé *The Advance of Red China*[1]. C'est un ouvrage très profond.

— Je ne l'ai pas lu. Vous connaissez l'auteur ?

Il hocha solennellement la tête et sombra dans un silence qu'il rompit pourtant un moment après pour modifier l'impression qu'il avait pu me donner.

— Je ne le connais pas très bien, dit-il. En réalité, je ne l'ai rencontré que deux fois.

Cela me plut en lui, qu'il pensât pécher par forfanterie en prétendant connaître... comment s'appelait-il ?... York Harding. J'appris dans la suite qu'il avait un immense respect pour ce qu'il nommait les écrivains sérieux. Ce terme excluait les romanciers, les poètes et les auteurs dramatiques, à moins que ceux-ci n'eussent adopté ce qu'il appelait un thème contemporain, et même dans ce cas, il valait mieux aller directement aux faits, aux documents bruts qu'on trouvait dans York.

— Vous savez que lorsqu'on vit longtemps dans un pays, dis-je, on cesse de lire les livres écrits sur ce pays.

---

1. *La Marche en avant de la Chine communiste.*

— Naturellement, je m'intéresse toujours à ce que les gens qui sont sur place ont à dire, me répondit-il prudemment.

— Et vous vérifiez ensuite dans York ?

— Oui.

Peut-être avait-il saisi l'ironie de ma question, car il ajouta avec sa politesse habituelle :

— Je me considérerais comme très privilégié si vous pouviez trouver un moment pour me renseigner sur les points principaux. Vous comprenez : York était ici il y a plus de deux ans.

Son loyalisme à l'endroit de Harding me plut, qui que fût Harding. Cela me changeait des dénigrements de ses camarades journalistes et de leur cynisme enfantin.

— Prenez une seconde bouteille de bière, dis-je, et je vais essayer de vous donner une idée de la situation actuelle.

Je commençai, tandis qu'il me regardait attentivement comme un bon élève, en lui expliquant la situation au nord, au Tonkin, où à cette époque les Français se raccrochaient au delta du fleuve Rouge, qui contient Hanoï et le seul port du Nord : Haïphong. C'est le pays des rizières et lorsque approchait le moment de la moisson, l'annuelle bataille pour la possession du riz se déclenchait.

— Voilà pour le Nord, dis-je. Les Français peuvent tenir, les pauvres diables, si les Chinois ne viennent pas soutenir les Viet-minhs. C'est une guerre de jungle, de montagne et de marais, de rizières où l'on patauge avec de l'eau jusqu'aux épaules et où les ennemis disparaissent tout bonnement, enterrent leurs armes et s'habillent en paysans… Mais l'on peut pourrir confortablement dans l'humidité de Hanoï. Ils n'y lancent pas de bombes. Dieu sait pourquoi. On pourrait appeler cela une guerre régulière.

— Et ici dans le Sud ?

— Les Français contrôlent les routes principales jusqu'à sept heures du soir ; après cela ils contrôlent les tours de guet, et les villes, partiellement. Cela ne veut pas dire qu'on y soit en sûreté, sans quoi il n'y aurait pas de grilles de fer devant les restaurants.

Combien de fois avais-je déjà expliqué tout cela ! Je me faisais l'effet d'être un disque qu'on mettait toujours à l'intention des derniers arrivés : le membre du Parlement en visite, le nouveau ministre d'Angleterre. Il m'arrivait de m'éveiller au milieu de la nuit en disant : « Prenez le cas des caodaïstes... » ou des Hoa Haos, ou des Binh Xuyen, de toutes les armées privées qui vendaient leurs services pour de l'argent ou par vengeance. Les étrangers les trouvaient pittoresques, mais il n'y a rien de pittoresque dans la suspicion et la traîtrise.

— Et maintenant, dis-je, il y a le général Thé. Il était chef d'état-major chez les caodaïstes, mais il a pris la brousse pour combattre les deux partis, les Français, les communistes...

— York a écrit, dit Pyle, que ce qu'il fallait en Orient c'était une Troisième Force.

Peut-être aurais-je dû discerner alors dans son œil cette lueur de fanatisme, voir sa réaction rapide aux formules consacrées, à la magie des numéros d'ordre : Cinquième Colonne, Troisième Force, Septième Jour. J'aurais pu nous épargner à tous, et à Pyle lui-même, bien des ennuis, si j'avais compris dans quelle direction manœuvrait ce jeune cerveau infatigable. Mais je le laissai en face de l'arrière-plan d'une aridité d'ossements et j'allai faire mes cent pas quotidiens dans la rue Catinat. Il lui faudrait découvrir seul le véritable arrière-plan, celui qui vous retient ici aussi puissamment qu'une odeur : l'or des rizières sous le plat soleil déclinant ; les grêles armatures où pendent les filets de pêcheurs qui volettent au-dessus des champs comme des moustiques, les tasses de thé sur la plate-forme du vieil abbé d'un monastère, avec son lit, ses agendas réclame, ses seaux, ses tasses cassées, les épaves de toute une vie rejetées par le temps autour de sa chaise ; les chapeaux en forme de bernicles portés par les filles qui réparaient la route, là où une mine avait sauté ; l'or, le vert tendre et les robes multicolores du Sud, et dans le Nord les bruns foncés, les vêtements noirs, le cirque des montagnes ennemies et le bourdonnement des avions. Au début, je comptais les jours de mon affectation, comme un écolier efface un à un sur le calendrier les jours du trimestre ; je me croyais lié pour toujours à ce qui restait d'un square de Bloomsbury, à l'autobus 73 qui passe devant le portique d'Euston et au petit bistrot de Torrington Place quand venait le printemps. En ce moment, les jacinthes et les tulipes devaient être en fleur dans le square, et je m'en fichais totalement. Je désirais seulement ces journées que ponctuaient des détonations sèches, qui étaient peut-être des ratés de moteurs ou peut-être des éclatements de grenades, je désirais suivre des yeux ces silhouettes en pantalons de soie qui passaient avec grâce dans la moiteur méridienne, je désirais Phuong, et mon foyer s'était déplacé de quinze mille kilomètres.

Je tournai devant la maison du Haut-Commissaire où des soldats de la Légion étrangère montaient la garde en képi blanc et épaulettes écarlates, traversai près de la cathédrale, et revins en longeant le sinistre mur de la Sûreté vietnamienne qui semble exhaler des odeurs d'urine et d'injustice. Et cela aussi faisait pourtant partie de mon foyer, au même titre que les couloirs obscurs en haut d'une maison, qu'on évite quand on est petit. Les plus récents numéros des magazines pornographiques : *Tabou* et *Illusion*, étaient aux étalages des libraires, près du quai ; des marins buvaient de la bière sur le trottoir : cible commode pour une bombe fabriquée en chambre. Je pensai à Phuong qui devait être en train de marchander du poisson dans la troisième rue à gauche avant d'aller prendre sa petite collation de onze heures au milk-bar (à cette époque je savais toujours où la trouver), et Pyle me sortit de l'esprit facilement et naturellement. Je ne parlai même pas de lui à Phuong quand nous déjeunâmes ensemble dans notre chambre au-dessus de la rue Catinat : elle portait sa plus belle robe de soie à fleurs, parce qu'il y avait ce jour-là exactement deux ans que nous nous étions rencontrés, au Grand-Monde, à Cholon.

2

Nous ne prononçâmes son nom ni l'un ni l'autre quand nous nous éveillâmes le matin après sa mort. Phuong était debout avant que je fusse complètement éveillé et elle avait préparé le thé. On n'est pas jaloux des morts, et il me sembla facile ce matin-là de reprendre avec elle notre vie d'autrefois.

— Resteras-tu ce soir ? lui demandai-je d'un air aussi détaché que possible, en mangeant mon croissant.

— Il faut que j'aille chercher mon coffre.

— La police y est peut-être, dis-je. Il vaut mieux que je t'accompagne.

Des paroles que nous échangeâmes ce jour-là, ce furent celles qui se rapprochèrent le plus d'une allusion à Pyle.

Pyle avait un appartement dans une villa neuve près de la rue Duranton, rue latérale à l'une de ces voies principales que les Français subdivisent continuellement, en l'honneur de leurs généraux, de sorte que la rue de Gaulle devenait après le troisième croisement la rue Leclerc, qui à son tour deviendrait sans doute tôt ou tard inopinément la rue de Lattre. Quelqu'un d'important avait dû arriver d'Europe par avion, car un agent de police se dressait face au trottoir, tous les vingt mètres, sur la route conduisant à la résidence du Haut-Commissaire.

Sur l'allée de gravier qui menait chez Pyle, il y avait plusieurs motocyclettes : un policier vietnamien examina ma carte de presse. Il interdit à Phuong l'entrée de la maison et je me mis à la recherche d'un officier français.

Dans la salle de bains de Pyle, Vigot se lavait les mains avec le savon de Pyle et se servait pour les sécher d'une serviette de Pyle. La manche de son costume de toile blanche était tachée d'huile : l'huile de Pyle, supposai-je.

— Y a-t-il du nouveau ? demandai-je.

— Nous avons trouvé sa voiture au garage. Le réservoir à essence est vide. Il a dû circuler en pousse hier soir, ou dans la voiture de quelqu'un. Peut-être avait-on vidé son réservoir.

— Il y est peut-être allé à pied, dis-je. Vous savez comment ils sont, ces Américains.

— Votre voiture a été brûlée, je crois, poursuivit-il pensivement. Vous ne l'avez pas remplacée ?

— Non.

— Ce n'est pas très important.

— En effet.

— Avez-vous une idée ?

— J'en ai trop.

— Dites-les-moi.

— Eh bien ! il a pu être assassiné par les Viet-minhs. Ils ont tué pas mal de gens à Saigon. Son corps a été trouvé dans le fleuve près du pont de Dakow, c'est en territoire viet quand votre police se retire, le soir. Ou bien, il a peut-être été tué par la Sûreté vietnamienne, ça s'est vu. Peut-être n'aimaient-ils pas les gens que Pyle fréquentait. Il a aussi pu être tué par les caodaïstes parce qu'il connaissait le général Thé.

— Il le connaissait vraiment ?

— C'est un bruit qui court. C'est peut-être le général Thé qui l'a tué parce qu'il connaissait les caodaïstes. Ou ce sont peut-être les Hoa Haos qui l'ont tué pour avoir fait de l'œil aux concubines du général. À moins qu'on ne l'ait tué simplement pour lui voler son argent.

— Ou par simple jalousie, dit Vigot.

— Sans oublier la Sûreté française, continuai-je, qui n'approuvait peut-être pas ses activités. Est-ce que vous recherchez vraiment les gens qui l'ont tué ?

— Non, dit Vigot. Je me contente de faire un rapport. Tant que c'est un fait de guerre… après tout, il y a chaque année des milliers de gens tués.

— Vous pouvez rayer mon nom, dis-je, je suis en dehors, en dehors de tout, répétai-je.

Ç'avait été un de mes articles de foi. La condition humaine étant ce qu'elle est, qu'ils se battent, qu'ils s'aiment, qu'ils s'assassinent, je ne veux pas m'en mêler. Mes confrères journalistes se faisaient appeler correspondants, je préférais le titre de reporter. J'écrivais ce que je voyais, je n'agissais pas, et avoir une opinion est encore une façon d'agir.

— Que faites-vous ici ?

— Je suis venu chercher les affaires de Phuong. Vos policiers n'ont pas voulu la laisser entrer.

— Eh bien ! allons voir si nous les trouvons.

— Vous êtes bien gentil, Vigot.

Pyle occupait deux pièces, une cuisine et une salle de bains. Nous entrâmes dans la chambre. Je savais où Phuong aurait rangé son coffre, sous le lit. Nous l'en tirâmes : il contenait ses livres d'images. Je sortis de l'armoire ses rares vêtements de rechange, deux tuniques neuves et un pantalon. On avait le sentiment qu'ils étaient restés pendus là quelques heures seulement et ne faisaient pas partie du décor : ils étaient de passage, comme un papillon dans une chambre. Dans un tiroir, je trouvai ses petites culottes triangulaires et sa collection d'écharpes. Il y avait vraiment très peu de chose à mettre dans le coffre, moins que ce qu'emporte chez nous un invité venu passer le week-end.

Dans le petit salon, il y avait une photographie de Phuong avec Pyle prise dans le Jardin botanique, à côté d'un grand dragon de pierre. Elle tenait en laisse le chien de Pyle, un chow noir à la langue noire. Trop noir, ce chien. Je mis la photo dans le coffre.

— Qu'est devenu le chien ? demandai-je.

— Il n'est pas ici. Il l'avait sans doute emmené avec lui.

— Peut-être va-t-il revenir et vous pourrez analyser la terre qui collera à ses pattes.

— Je ne suis pas Lecoq, ni même Maigret, et c'est la guerre.

Je traversai la pièce et j'allai examiner les deux rayons de livres : la bibliothèque de Pyle. *The Advance of Red China, The Challenge to Democracy, The Role of the West*[1], c'étaient, supposai-je, les œuvres complètes de York Harding. Il y avait des masses de procès-verbaux des débats au Congrès, un manuel de langue vietnamienne, une histoire de la guerre aux Philippines, un Shakespeare dans l'édition de la Modern Library. Comment se délassait-il l'esprit ? Je trouvai dans un autre rayon ses lectures plus légères : un Thomas Wolfe en édition de poche et une mystérieuse anthologie appelée *The Triumph of Life*[2], outre un choix de poètes américains. Il y avait aussi un recueil de problèmes d'échecs. Ça n'était peut-être pas très distrayant au bout d'une journée de travail mais, après tout, il avait eu Phuong. Enfoncé derrière l'anthologie, se dissimulait un ouvrage broché intitulé *The Physiology of Marriage*. Peut-être étudiait-il les rapports sexuels, comme il avait étudié l'Orient, dans les livres. Et le mot clé y était : mariage. Pyle était partisan de l'engagement.

Son bureau était absolument net.

— Vous avez fait un vrai nettoyage, dis-je.

— Oh ! dit Vigot, il a fallu que je me charge de tout cela au nom de la légation américaine. Vous savez avec quelle rapidité les bruits se répandent. La maison aurait pu être pillée. J'ai fait mettre tous ses papiers sous scellés.

---

1. *La Marche en avant de la Chine communiste, Défi à la démocratie, Le Rôle de l'Occident.*

2. *Le Triomphe de la vie.*

Il avait dit cela sérieusement, sans l'ombre d'un sourire.

— Il y en avait de compromettants ?

— Nous ne pouvons pas nous permettre de trouver un papier qui puisse compromettre un allié, dit Vigot.

— Voyez-vous quelque inconvénient à ce que j'emporte un de ces livres… en souvenir ?

— Je ferme les yeux.

Je choisis *The Role of the West* par York Harding, et je l'enfermai dans le coffre avec les vêtements de Phuong.

— En tant qu'ami, demanda Vigot, n'y a-t-il rien que vous puissiez me dire, confidentiellement ? Mon rapport est achevé et clos. Pyle a été assassiné par les communistes. Peut-être ce meurtre marque-t-il le début d'une campagne contre l'aide américaine. Mais entre vous et moi… écoutez, il fait soif à parler ici, que diriez-vous d'un *vermouth-cassis* au coin de la rue ?

— Trop tôt.

— Il ne vous a rien confié la dernière fois que vous vous êtes vus ?

— Non.

— Quand était-ce ?

— Hier matin. Après le coup de grosse caisse.

Il resta silencieux pour laisser à ce que je venais de dire le temps de bien pénétrer… dans mon esprit, pas dans le sien. Il posait ses questions honnêtement.

— Vous étiez sorti quand il est allé vous voir hier soir ?

— Hier soir ? Je devais être absent. Je ne savais pas…

— Vous aurez un jour besoin d'un visa pour partir. Vous savez que nous pouvons vous le faire attendre indéfiniment ?

— Croyez-vous réellement, dis-je, que je désire rentrer dans mon pays ?

Vigot regarda par la fenêtre le jour fulgurant, sans un nuage.

— La plupart des gens le désirent, dit-il tristement.

— Je me plais ici. Chez moi, je trouverais… des problèmes.

— *Merde*, dit Vigot. Voilà l'attaché économique américain.

Il répéta sur un ton sarcastique :

— Attaché économique !

— Il vaut mieux que je file. Il voudrait mettre les scellés sur moi du même coup.

— Je vous souhaite bonne chance, dit Vigot d'un air las. Il va avoir des masses de choses à me dire.

Quand je sortis, l'attaché aux affaires économiques était debout à côté de sa Packard et essayait d'expliquer quelque chose à son chauffeur. C'était un homme entre deux âges, corpulent, avec un derrière exagérément rebondi, et un visage qui semblait avoir toujours ignoré l'usage du rasoir. Il m'appela.

— Fowler ! Pourriez-vous expliquer à ce maudit chauffeur…

J'expliquai.

— Mais c'est exactement ce que je viens de lui dire !, s'écria-t-il. Il fait toujours comme s'il ne comprenait pas le français.

— C'est peut-être une question d'accent.

— J'ai passé trois ans à Paris. Mon accent est assez bon pour cette espèce de Vietnamien !

— La voix de la démocratie, dis-je.

— Qu'est-ce que c'est que cela ?

— Ce doit être une œuvre de York Harding.

— Je ne vous comprends pas. (Il lança un regard soupçonneux sur le coffre que je portais.) Qu'avez-vous là ?

— Deux paires de pantalons de soie blanche, deux robes de soie, des petites culottes de femme, trois paires, je crois. Rien que des produits indigènes. Pas d'aide américaine.

— Êtes-vous monté là-haut ?

— Oui.

— Vous avez appris la nouvelle ?

— Oui.

— C'est une chose terrible, dit-il, terrible !

— Je suppose que le ministre est bouleversé.

— Je vous crois. Il est chez le Haut-Commissaire en ce moment et il a demandé un entretien au président. (Il me mit la main sur le bras et m'éloigna des voitures.) Vous connaissiez bien le jeune Pyle, n'est-ce pas ? Je ne peux pas me faire à l'idée qu'il lui est arrivé une chose pareille. J'ai rencontré son père, le professeur Harold C. Pyle. Vous avez entendu parler de lui ?

— Non.

— C'est une autorité mondiale en matière d'érosions sous-marines. N'avez-vous pas vu sa photographie sur la couverture de *Time* l'autre mois ?

— Oh ! je crois que je me rappelle. Des lunettes à monture d'or au premier plan et une falaise croulante comme fond.

— C'est lui. J'ai dû rédiger le câble qu'on lui a envoyé. Affreuse obligation. J'aimais ce jeune homme comme s'il avait été mon fils.

— Cela fait de vous un très proche parent de son père.

Il tourna vers moi ses yeux marron mouillés.

— Qu'est-ce qui vous prend ? dit-il. Ce n'est pas une façon de parler quand un garçon aussi chic…

— Excusez-moi, dis-je. La mort ne produit pas le même effet sur tout le monde. (Peut-être avait-il eu vraiment de l'affection pour Pyle.) Qu'avez-vous mis dans votre câble ?

Il prit ma question au pied de la lettre et répondit très sérieusement.

— « Désolé vous annoncer votre fils mort en soldat pour la cause de la démocratie. » Le ministre a signé.

— Mort en soldat, dis-je. Est-ce que cela ne va pas créer une légère confusion ? Je veux dire parmi les siens. La Mission d'aide américaine ne peut pas tout à fait se confondre avec l'armée. Vous distribue-t-on des *Purple Hearts*[1] ?

D'une voix basse, étranglée par l'ambiguïté, il me révéla :

— Il était chargé de missions spéciales.

— Oui, oui, tout le monde l'avait deviné.

— Mais il n'avait rien divulgué ?

— Oh ! non, dis-je.

Et la phrase que Vigot avait employée me revint : c'était un Américain bien tranquille.

— Avez-vous un soupçon quelconque, demanda-t-il, sur la raison de ce meurtre ? ou sur son meurtrier ?

Je me sentis soudain bouillir de colère ; j'en avais assez de toute cette clique, de leurs réserves privées de Coca-Cola, de leurs ambulances portatives, de leurs énormes voitures et de leurs canons qui n'étaient pas tout à fait du dernier modèle.

— Oui, répondis-je. On l'a tué parce qu'il était trop innocent pour vivre. Il était jeune, ignorant, sot, et il s'est mêlé de ce qui ne le regardait pas. Il n'en savait pas plus que vous tous sur ce qui se passe ici, et vous lui avez donné de l'argent, avec les livres de York Harding sur l'Orient ; puis vous lui avez dit : « Allez-y. Convertissez l'Orient à la démocratie. » Il n'a jamais rien vu qu'il n'eût entendu décrire dans une salle de conférences, et ses écrivains et ses conférenciers se sont payé sa tête. Devant un cadavre, il n'a même pas pu distinguer les blessures. Menace communiste, soldat de la démocratie !

— Je croyais que vous étiez son ami, dit-il, sur un ton de reproche.

— J'étais *vraiment* son ami. J'aurais aimé le voir occupé à lire les suppléments du dimanche de ses journaux, chez lui, et spectateur assidu au base-ball. J'aurais

1. *Cœur pourpre :* décoration militaire des États-Unis dont la généreuse distribution est légendaire.

voulu le voir vivre sans risque aux côtés d'une petite Américaine standard abonnée à un club du Livre.

Il toussa pour s'éclaircir la gorge, très gêné.

— Naturellement, dit-il. J'avais oublié cette regrettable histoire. J'ai pris votre parti sans réserve, Fowler. Il s'est très mal conduit. Je n'hésite pas à vous dire que j'ai eu une longue conversation avec lui au sujet de cette jeune femme. Voyez-vous, j'avais l'avantage de connaître le professeur et Mrs Pyle…

— Vigot vous attend, dis-je.

Et je partis.

Il venait seulement de repérer Phuong ; en me retournant, je vis qu'il me suivait des yeux avec tristesse et perplexité : l'éternel grand frère qui ne comprend rien.

Chapitre 3

1

La première fois que Pyle rencontra Phuong, ce fut de nouveau au Continental, environ deux mois après son arrivée. On était au début de la soirée, dans la fraîcheur éphémère qui suit immédiatement le coucher du soleil, et les bougies brûlaient déjà aux éventaires des rues transversales. Les dés cliquetaient sur les tables où les Français jouaient au 421, et le long de la rue Catinat, les jeunes femmes en pantalons de soie blanche regagnaient leur logis à bicyclette. Phuong buvait un verre de jus d'orange, moi une bière, et nous ne disions rien, satisfaits d'être ensemble. Alors, Pyle s'approcha, cherchant à se joindre à nous, et je les présentai l'un à l'autre. Il avait une étrange façon de dévisager fixement les femmes comme s'il n'en avait jamais vu, puis de rougir violemment.

— Accepteriez-vous, dit-il, Madame et vous, de venir vous asseoir à ma table. Un de nos attachés…

C'était l'attaché économique. Il penchait vers nous, du haut de la terrasse, son visage rayonnant, et son vaste, chaleureux sourire de bienvenue, débordant de confiance, le sourire de l'homme qui garde tous ses amis parce qu'il emploie de bons désodorisants. Je l'avais souvent entendu appeler Joe, mais je n'avais jamais eu son nom de famille. Il se livra à une bruyante exhibition de chaises tirées et d'appels au garçon, bien que toute cette activité ne pût jamais faire apparaître au Continental qu'un assortiment de bière, de cognac-soda et de vermouth-cassis.

— Je ne pensais pas vous trouver ici, Fowler, me dit-il. Nous attendons nos gars qui vont arriver de Hanoï. Il paraît que ça a bardé sérieusement là-bas. Vous n'étiez donc pas avec eux ?

— J'en ai plein le dos de faire quatre heures de vol pour assister à une conférence de presse.

Il m'examina d'un air désapprobateur.

— Ces garçons, dit-il, sont très emballés. Je suis sûr que s'ils voulaient, ils pourraient gagner deux fois plus dans les affaires ou à la radio, sans courir de risques.

— On leur demanderait peut-être de travailler, dis-je.

— Ils ont l'air de flairer la poudre, comme des chevaux de combat, continua-t-il avec enthousiasme et sans prêter attention à des propos qui ne lui plaisaient pas. Tenez, Bill Granger, impossible de le retenir quand il y a du grabuge quelque part.

— Je crois que vous avez tout à fait raison, dis-je. Je l'ai vu en plein grabuge l'autre soir au bar du Sporting.

— Vous savez très bien que ce n'est pas de cela que je parlais.

Deux cyclo-pousse descendirent la rue Catinat en pédalant vigoureusement et firent un arrêt spectaculaire devant le Continental. Granger était dans le premier. L'autre contenait un petit tas gris et silencieux que Granger se mit à tirailler pour le faire descendre sur le trottoir.

— Oh ! arrive, Mick, dit-il, arrive !

Puis il entama une discussion avec son conducteur au sujet du prix de la course.

— Tiens, c'est à prendre ou à laisser, conclut-il, en jetant sur les pavés, afin de forcer l'homme à ramasser son argent, cinq fois la somme qu'il lui devait.

L'attaché économique dit avec une certaine nervosité :

— Ces braves garçons ont bien mérité de se détendre un peu, après tout.

Granger lança son fardeau sur le fauteuil. Brusquement, il remarqua Phuong.

— Eh ! là, Joe, dit-il, vieux… ce que je pense, où l'as-tu dégotée ? Je ne me serais jamais douté que tu *en* avais. Excuse-moi, faut que j'aille aux chiottes. Prenez soin de Mick.

— Les façons rudes du soudard, dis-je.

Rougissant de nouveau, Pyle dit très gravement :

— Je ne vous aurais pas invités à venir tous les deux si j'avais pensé…

Le tas gris s'agita dans le fauteuil et la tête tomba sur la table comme si elle ne tenait pas au reste. Un soupir s'en échappa en un sifflement d'incommensurable ennui, puis le tout retomba dans le néant.

— Le connaissez-vous ? demandai-je à Pyle.

— Non. Est-ce qu'il n'appartient pas à la presse ?

— J'ai entendu que Bill l'appelait Mick, dit l'attaché économique.

— N'y a-t-il pas un nouveau correspondant à l'U P[1] ?

— Ce n'est pas lui. Je le connais. Et dans votre Mission économique ? Vous ne pouvez pas connaître tous vos types. Il y en a des centaines.

— Je ne crois pas qu'il en soit, dit l'attaché économique. Je ne me rappelle pas l'avoir vu.

— Nous pourrions chercher sa carte d'identité, suggéra Pyle.

— Je vous en prie, ne le réveillez pas. Nous avons assez d'un ivrogne. D'ailleurs, Granger le connaît.

Mais il ne le connaissait pas. Il revint des toilettes, l'air sombre.

— Qui est la pépée ? demanda-t-il hargneusement.

— Miss Phuong est une amie de Fowler, répondit Pyle avec raideur. Nous voudrions savoir qui...

---

1. *United Press.*

— Où l'a-t-il trouvée ? Il faut faire bien attention dans cette ville. Loué soit Dieu qui nous a donné la pénicilline.

— Bill, dit l'attaché économique, nous voudrions savoir qui est Mick.

— Sais pas.

— Mais vous l'avez amené !

— Les Grenouillards ne tiennent pas le whisky. Il est tombé dans les pommes.

— Il est Français ? J'ai cru vous entendre l'appeler Mick.

— Il fallait bien que je l'appelle quelque chose, dit Granger.

Il se pencha vers Phuong et lui dit :

— Hé ! dites donc, ma petite, une autre orangeade ? Retenue ce soir ?

— Elle est retenue tous les soirs, dis-je.

L'attaché économique se hâta d'intervenir :

— Parlez-nous de la guerre, Bill.

— Grande victoire au nord-ouest de Hanoï. Les Français reprennent deux villages : ils ne nous avaient jamais dit qu'ils les avaient perdus. Lourdes pertes chez les Vietminhs. Les Français n'ont pas encore eu le temps de compter les leurs, mais ils nous les communiqueront dans une ou deux semaines.

— Un bruit court, dit l'attaché économique, suivant lequel les Viets ont pénétré dans Phat Diem, brûlé la cathédrale et chassé l'évêque.

— Ils n'ont pas voulu nous parler de cela à Hanoï. Ce n'est pas une victoire.

— Une de nos équipes d'ambulanciers n'a jamais pu dépasser Nam Dinh, dit Pyle.

— Vous n'êtes pas allé jusque-là, Bill ? demanda l'attaché économique.

— Pour qui me prenez-vous ? Je suis un correspondant muni d'un *ordre de circulation* qui me trahit quand je sors des limites. Je prends l'avion pour l'aéroport de Hanoï. On nous emmène en voiture jusqu'au camp de presse. Ils nous font survoler les deux villes qu'ils viennent de reprendre, et ils nous montrent le drapeau tricolore hissé dessus. Vu de cette hauteur, ça pourrait être n'importe quel bon Dieu de drapeau. Ensuite, nous allons à une conférence de presse, où un colonel nous explique ce que nous venons de regarder. Alors nous faisons passer nos télégrammes à la censure. Puis on boit quelques drinks. Meilleur barman d'Indochine. Et puis, c'est l'avion de retour.

Pyle considérait sa bière, le sourcil froncé.

— Vous vous sous-estimez, Granger, dit l'attaché économique. Voyons, ce papier sur la Route 66, comment l'aviez-vous intitulé ? La Grande Route de l'Enfer – c'était digne du Pulitzer. Vous savez de quelle histoire je veux parler : l'homme à genoux dans le fossé et qui a la tête arrachée, et l'autre que vous avez vu marcher dans un rêve...

— Non mais, vous croyez vraiment que je serais allé me balader sur cette foutue route ? Stephen Crane a décrit une guerre sans y avoir mis les pieds. Pourquoi pas moi ? D'ailleurs, ce n'est jamais qu'une putain de guerre coloniale. Donnez-moi à boire. Et puis, allons-nous-en chez les filles. Vous avez de la fesse, je veux de la fesse, moi aussi.

— Croyez-vous, demandai-je à Pyle, qu'il y ait du vrai dans ces bruits au sujet de Phat Diem ?

— Je n'en sais rien. Est-ce important ? J'aimerais aller y jeter un coup d'œil si c'est important.

— Important pour la Mission économique ?

— Oh ! vous savez, dit-il, on ne peut pas établir de séparations rigides. La médecine est une sorte d'arme, après tout. Ces catholiques, ils doivent être assez montés contre les communistes, non ?

— Ils trafiquent avec les communistes. L'évêque leur achète ses vaches et du bambou de construction. Je n'irai pas jusqu'à dire qu'ils constituent la Troisième Force de York Harding, ajoutai-je, pour le taquiner.

— On lève la séance, criait Granger. Je n'veux pas gâcher toute ma nuit ici. Vais faire un tour à la Maison des Cinq-Cents-Filles.

— Acceptez-vous de dîner avec moi, miss Phuong et vous ? me demanda Pyle.

Granger l'interrompit.

— Vous pourrez manger au Chalet, pendant que je baiserai dans la tôle d'à côté. Arrivez, Joe. Après tout, vous êtes un homme.

Je crois que ce fut à cet instant, où je me demandais ce qu'était un homme, que pour la première fois je ressentis de l'amitié pour Pyle. Il s'était assis légèrement de côté pour éviter Granger, et faisait tourner entre ses doigts sa chope de bière, avec une expression volontairement lointaine.

— Je suppose, dit-il à Phuong, que vous êtes lasse de toutes ces histoires de boutique, concernant votre pays, je veux dire ?

— *Comment ?*

— Qu'allez-vous faire de Mick ? demanda l'attaché économique.

— On le laisse ici, répondit Granger.

— Vous ne pouvez pas faire cela, vous ne savez même pas son nom.

— On pourrait l'emmener et dire aux filles de s'occuper de lui.

L'attaché éclata d'un gros rire publicitaire : on aurait dit un visage sur un écran de télévision.

— Vous autres, jeunes gens, dit-il, allez où vous voudrez. Moi, je suis trop vieux pour faire joujou. Je l'emmène chez moi. Vous dites qu'il est français ?

— Il parlait français.

— Si vous pouvez l'introduire dans ma voiture...

Après son départ, Pyle prit un cyclo-pousse avec Granger, et Phuong et moi le suivîmes dans un autre sur la route de Cholon. Granger avait essayé d'entrer dans le même pousse que Phuong, mais Pyle l'en avait écarté.

Tandis qu'ils nous emportaient à force de pédales sur la longue voie de banlieue qui mène à la ville chinoise, nous fûmes dépassés par une file de blindés français : il y avait, sur chaque char, un canon qui se projetait et un officier aussi immobile et silencieux qu'une figure de proue, sous le ciel concave, noir et lisse, constellé d'étoiles. Encore des accrochages, sans doute, avec une armée privée, les Binh Xuyen qui régnaient sur le Grand-Monde et tous les tripots de Cholon. Ce pays était en proie aux barons rebelles : on aurait dit l'Europe du Moyen Âge. Mais alors, qu'y faisaient les Américains ? Colomb n'avait pas encore découvert leur continent...

— Ce garçon, Pyle, il me plaît, dis-je à Phuong.

— Il est tranquille, dit-elle.

Et cette épithète qu'elle fut la première à lui appliquer, lui resta attachée comme un surnom d'écolier, jusqu'à ce que j'entendisse Vigot lui-même l'employer ; Vigot les yeux protégés par une visière verte et me parlant de la mort de Pyle.

Je fis arrêter notre pousse devant le Chalet et je dis à Phuong :

— Entre et trouve une table. Il faut que je m'occupe de Pyle.

Car tel fut mon premier mouvement instinctif : le protéger. Jamais il ne me vint à l'idée que j'avais moi-même un besoin plus grand de protection. L'innocence fait toujours à notre force tutélaire un appel silencieux, alors qu'il serait tellement plus sage de nous défendre contre elle : l'innocence est comme un lépreux muet qui a perdu sa sonnette et qui erre de par le monde, sans mauvaise intention.

Quand j'arrivai à la Maison des Cinq-Cents-Filles, Pyle et Granger étaient déjà à l'intérieur. Je demandai au poste de police militaire de l'entrée :

— *Deux Américains ?*

C'était un jeune caporal de la Légion étrangère. Il cessa de nettoyer son revolver et me montra du pouce la porte derrière lui, en faisant en allemand une plaisanterie que je ne compris pas.

Dans l'immense cour à ciel ouvert c'était l'heure du repos. Des centaines de femmes étaient allongées dans l'herbe ou assises sur leurs talons et bavardaient entre elles. Les rideaux n'étaient pas tirés devant les petites cellules qui entouraient la cour ; une fille fatiguée était étendue, seule, sur un lit, chevilles croisées. Il y avait des troubles à Cholon et les troupes étaient consignées au quartier ; pas de travail, le dimanche du corps. Un seul groupe de pensionnaires qui se houspillaient et jouaient des pieds et des mains en poussant des cris, me montra que, dans ce coin, les affaires marchaient encore. Je me rappelai la vieille anecdote, bien connue à Saigon, du visiteur de marque qui avait perdu son pantalon en luttant pour venir se réfugier au poste de police. Ici, les civils n'étaient pas protégés. S'ils venaient braconner sur les territoires militaires, ils devaient se défendre seuls et s'en sortir par leurs propres moyens.

J'avais acquis une certaine technique : diviser pour vaincre. Je fis mon choix dans le groupe compact qui m'enferma et je dirigeai la fille lentement vers l'endroit où Pyle et Granger se débattaient.

— *Je suis un vieux*, dis-je, *trop fatigué*.

Elle rit sottement et se pressa contre moi.

— *Mon ami*, dis-je, *il est très riche, très vigoureux*.

— *Tu es sale*, dit-elle.

J'aperçus Granger, rouge et triomphant ; on aurait dit qu'il prenait cette manifestation pour un hommage à ses qualités viriles. Une fille avait passé son bras sous celui de Pyle et elle essayait de le tirer hors du ring. Je poussai vers le centre la femme que j'avais abordée et criai :

— Pyle, venez ici.

Il me regarda par-dessus leurs têtes.

— C'est terrible, terrible, dit-il.

Peut-être était-ce un jeu de lumière causé par les lampes, mais son visage me parut blafard. L'idée me vint qu'il pourrait bien être vierge.

— Venez par ici, Pyle, répétai-je, laissez-les à Granger.

Je vis sa main prendre le chemin de sa poche. Je crois vraiment qu'il avait l'intention d'en tirer toutes les piastres et les billets verts qu'il y avait.

— Ne faites pas l'idiot, Pyle ! criai-je d'une voix brève. Vous allez déclencher une bataille.

La jeune fille revenait vers moi : je la poussai de nouveau dans le cercle intérieur qui entourait Granger.

— *Non, non*, lui répétai-je, *je suis un Anglais, pauvre, très pauvre*.

Puis j'attrapai Pyle par la manche et le traînai hors de l'attroupement, avec la jeune fille accrochée à son autre bras comme un poisson pris à l'hameçon. Deux ou trois filles essayèrent dc nous barrer le chemin du portail d'entrée d'où le caporal surveillait nos mouvements, mais leur intervention manquait d'entrain.

— Que vais-je faire de celle-ci ? dit Pyle.

— Elle ne vous causera pas d'ennuis.

Au même moment, elle lâchait son bras et courait se plonger de nouveau dans la bagarre autour de Granger.

— Est-ce qu'il n'est pas en danger ? demanda Pyle, anxieusement.

— Il a ce qu'il voulait : de la fesse !...

Dehors, la nuit paraissait très calme, n'était un autre escadron de blindés conduits par ces mêmes hommes à l'air résolu.

— C'est terrible... disait Pyle. Je n'aurais jamais cru...

Il ajouta avec un effroi mélancolique :

— Elles étaient si jolies !

Il n'enviait pas Granger. Il déplorait que quelque chose de bon – or, la beauté et la grâce sont à n'en pas douter des formes de bonté – fût abîmé ou maltraité. Pyle voyait la souffrance lorsqu'elle lui crevait les yeux. (Ceci n'est pas un sarcasme : après tout, beaucoup d'entre nous n'en sont même pas capables.)

— Revenez au Chalet, dis-je. Phuong nous attend.

— Excusez-moi, dit-il, j'avais complètement oublié. Vous n'auriez pas dû la quitter.

— Ce n'est pas elle qui était en danger !

— J'ai voulu servir d'escorte à Granger...

Il retomba dans ses pensées mais, au moment où nous franchissions le seuil du Chalet, il ajouta comme en proie à une détresse obscure :

— J'avais oublié combien il y a d'hommes...

2

Phuong nous avait gardé une table au bord de la piste de danse et l'orchestre jouait un air qui avait été populaire à Paris cinq ans avant. Deux couples vietnamiens dansaient, petits, nets, distants, avec un air civilisé que nous ne saurions égaler. (Je reconnus l'un des couples : un comptable de la Banque d'Indochine et sa femme.) On sentait qu'ils ne s'habillaient jamais de façon négligée, ne disaient jamais une parole déplacée, n'étaient jamais en proie à une passion échevelée. Dans cette guerre d'allure médiévale, ils représentaient le XVIIIe siècle qui allait venir. On se serait attendu à ce que Mr Pham Van-tu écrivît des poèmes classiques à la manière des augustins, mais je savais par hasard qu'il étudiait Wordsworth et célébrait en vers les beautés de la nature. Il passait ses vacances à Dalat, le plus près qu'il pût parvenir de l'atmosphère des lacs anglais. Il s'inclina légèrement en passant. Je me demandais comment Granger se tirait d'affaire à quelque cinquante mètres, en remontant la route.

Dans un français exécrable, Pyle s'excusait auprès de Phuong de ce que nous l'avions fait attendre.

— *C'est impardonnable*, dit-il.

— Où étiez-vous ? demanda-t-elle.

— J'ai accompagné Granger, qui rentrait à la maison.

— La maison ? répétai-je en éclatant de rire.

Et Pyle me regarda comme si j'étais un second Granger. Brusquement, je me vis tel qu'il me voyait : quarante ans passés, des yeux un peu injectés de sang, un début d'obésité ; amant disgracieux, moins bruyant sans doute que Granger, mais plus cynique et moins innocent ; et pendant un instant je vis Phuong telle qu'elle m'était apparue pour la première fois, quand elle était passéc près de ma table en dansant au Grand-Monde, en robe de bal blanche, dix-huit ans, chaperonnée par une sœur aînée qui était résolue à lui voir faire un bon mariage européen. Un Américain avait acheté un billet et l'avait invitée à danser, il était un peu ivre, sinon dangereusement, et je suppose que, nouveau venu dans le pays, il croyait que les hôtesses du Grand-Monde étaient des prostituées. Il la tint serrée beaucoup trop étroitement contre lui lorsqu'ils firent leur premier tour de piste, et la jeune fille revint brusquement s'asseoir près de sa sœur ; l'Américain resta en panne, perdu au milieu des danseurs, sans savoir ce qui s'était passé ni pourquoi. Et celle dont j'ignorais encore le nom était là, tranquillement assise, et buvait son jus d'orange à petites gorgées, en complète possession d'elle-même.

— *Peut-on avoir l'honneur ?* disait Pyle avec son abominable accent.

Et je les vis, un moment après, en train de danser en silence à l'autre bout de la pièce ; Pyle la tenait si loin de lui qu'on s'attendait d'une minute à l'autre à les voir se séparer. Il dansait très mal, et elle était la meilleure danseuse que j'eusse jamais connue au temps où elle travaillait au Grand-Monde.

Il avait fallu lui faire une cour longue et décevante. Eussé-je pu lui offrir le mariage et lui assurer un douaire, tout aurait été facile, et la sœur aînée se serait éclipsée avec tact et sans bruit à chacune de nos rencontres. Mais trois mois se passèrent avant que je réussisse à la voir seule, ne fût-ce qu'un moment, sur un balcon du Majestic, pendant que d'une chambre voisine sa sœur appelait sans arrêt, pour savoir quand nous avions l'intention de rentrer. Sur la rivière de Saigon, on déchargeait à la lueur des torches un cargo arrivant de France ; les timbres des cyclo-pousse sonnaient comme des téléphones, et à en juger par les choses que je trouvais à dire, j'aurais pu être un jeune benêt sans expérience. Je regagnais mon lit de la rue Catinat sans l'ombre d'un espoir, et je n'aurais jamais imaginé que, quatre mois plus tard, elle serait allongée à mes côtés, un peu haletante et riant comme si elle était surprise de ce que rien n'eût été absolument semblable à ce qu'elle avait prévu.

— Monsieur Foulair.

Je les regardais danser et je n'avais pas vu la sœur qui, d'une autre table, me faisait des signes. Elle avait traversé la salle et, bien que je n'en eusse pas envie, je l'invitai à s'asseoir avec nous. Nous n'étions pas bons amis depuis le soir où elle avait été prise d'un malaise et où j'avais accompagné Phuong jusque chez elles.

— Il y a une année entière que je ne vous ai vu, dit-elle.

— Je suis très souvent à Hanoï.

— Qui est votre ami ?

— Un nommé Pyle.

— Que fait-il ?

— Il est à la Mission économique américaine. Vous savez de quoi il s'agit : machines à coudre électriques pour couturières mourant de faim.

— Y en a-t-il ?

— Je ne sais pas.

— Mais elles ne se servent pas de machines à coudre. Il n'y a pas d'électricité là où elles habitent.

Elle entendait les choses littéralement.

— Il faudra en parler à Pyle, dis-je.

— Est-il marié ?

Je regardai la piste de danse.

— Je crois qu'il ne s'est jamais approché d'une femme autant qu'en ce moment.

— Il danse très mal, dit-elle.

— Très.

— Mais il a l'air de quelqu'un de gentil et sûr.

— Oui.

— Puis-je rester un moment avec vous ? Mes amis sont très ennuyeux.

La musique s'arrêta. Pyle salua Phuong avec raideur, la ramena et lui tint sa chaise pendant qu'elle s'asseyait. Je vis très bien qu'elle appréciait ce respect des convenances. Je pensai à tout ce qui devait lui manquer dans ses rapports avec moi.

— Je vous présente la sœur de Phuong, miss Hei, dis-je à Pyle.

— Je suis très heureux de faire votre connaissance, dit-il en rougissant.

— Vous venez de New York ? demanda-t-elle.

— Non, de Boston.

— C'est aussi dans les États-Unis ?

— Oui, oh !... oui.

— Votre père est-il dans les affaires ?

— Pas exactement : il est professeur.

— Maître d'école ? demanda-t-elle, d'un ton légèrement déçu.

— Non, non, c'est une sorte de sommité, vous savez. Les gens viennent le consulter.

— Au sujet de leur santé ? Est-il docteur ?

— Pas ce genre de docteur. Il est pourtant docteur, mais en recherches industrielles. Il connaît tout ce qu'on peut connaître sur les érosions sous-marines. Vous savez ce que c'est ?

— Non.

Pyle se hasarda à faire une petite facétie.

— Eh bien ! je laisse à papa le soin de vous l'expliquer.

— Il est ici ?

— Oh ! non.

— Alors, il va venir ?

— Non. J'ai dit cela en plaisantant, expliqua Pyle, pour s'excuser.

— Avez-vous une autre sœur ? demandai-je à miss Hei.

— Non, pourquoi ?

— On aurait dit que vous interrogiez Mr Pyle en vue d'un mariage.

— Je n'ai qu'une sœur, dit miss Hei.

Et elle appliqua pesamment la main sur le genou de Phuong, de même qu'un président de réunion abaisse son marteau en guise de rappel à l'ordre.

— C'est une très jolie sœur, dit Pyle.

— C'est la plus belle fille de Saigon, dit miss Hei, comme pour corriger ce qu'il venait de dire.

— Je le crois aisément.

— Il est temps que nous commandions le dîner, dis-je. La plus belle fille de Saigon elle-même doit manger.

— Je n'ai pas faim, dit Phuong.

— Elle est très délicate, poursuivit miss Hei avec fermeté. (Il y avait dans sa voix une note menaçante.) Elle a besoin de soins. Elle mérite qu'on la soigne. Elle est très, très loyale.

— Mon ami est un homme bien chanceux, dit Pyle gravement.

— Elle adore les enfants, dit miss Hei.

J'éclatai de rire, puis mon regard rencontra celui de Pyle : il me dévisageait avec une expression de surprise scandalisée, et je compris tout à coup qu'il s'intéressait sincèrement à ce que miss Hei avait à dire. Pendant que je commandais le dîner (bien que Phuong eût déclaré qu'elle n'avait pas faim, je savais qu'elle viendrait à bout d'un bon steak tartare accompagné de ses deux œufs crus et de tous ses et caetera), je l'écoutai discuter très sérieusement cette question des enfants.

— J'ai toujours pensé que j'aimerais avoir beaucoup d'enfants, disait-il. Une nombreuse famille est un merveilleux sujet d'intérêt. Cela assure la stabilité du mariage. En outre, c'est excellent pour les enfants. Je n'ai ni frère, ni sœur. C'est un grand désavantage que d'être fils unique.

Je ne l'avais jamais entendu faire un aussi long discours.

— Quel âge a votre père ? demanda miss Hei, gloutonnement.

— Soixante-neuf ans.

— Les vieilles personnes aiment avoir des petits-enfants. Il est très triste que ma sœur n'ait plus de parents qui auraient été comblés de joie par les enfants qu'elle aura un jour, je ne sais pas quand, ajouta-t-elle avec un regard sinistre dans ma direction.

— Ou par les vôtres, dit Pyle, ce qui était, pensai-je, assez superflu.

— Notre père appartenait à une très bonne famille. Il était mandarin à Hué.

— J'ai commandé à dîner pour tout le monde, dis-je.

— Pas pour moi, dit miss Hei. Il faut que je rejoigne mes amis. J'aimerais revoir Mr Pyle. Vous pourriez peut-être arranger cela.

— Quand je rentrerai du Nord.

— Vous montez dans le Nord ?

— Je crois qu'il est temps que je jette un coup d'œil sur les hostilités.

— Mais toute la presse est revenue, dit Pyle.

— C'est donc le meilleur moment pour moi. Je ne serai pas forcé de parler à Granger.

— Alors il faut venir dîner avec ma sœur et moi quand M. Foulair sera parti... Pour la consoler, ajouta-t-elle avec une courtoisie morose.

— Quelle femme charmante et cultivée, dit Pyle lorsqu'elle fut partie. Et comme elle parle bien l'anglais !

— Dis-lui que ma sœur a été dans les affaires à Singapour, dit fièrement Phuong.

— Vraiment ? Quel genre d'affaires ?

Je traduisis.

— Export-import. Elle connaît la sténographie.

— Il nous faudrait des personnes comme elle à la Mission économique.

— Je lui en parlerai, dit Phuong. Elle aimerait travailler pour les Américains.

Après le dîner, ils se remirent à danser. Je danse mal, moi aussi, et je ne possédais pas l'inconscience de Pyle : je me demandai si je l'avais à l'époque où j'étais tombé amoureux de Phuong. Bien d'autres soirées avaient dû se passer au Grand-Monde avant le mémorable soir de l'indisposition de miss Hei où j'avais dansé avec Phuong uniquement pour avoir la possibilité de lui parler. Pyle ne profitait pas de cette possibilité, tandis qu'ils refaisaient le tour de la piste ; il était un peu détendu, c'est tout, et la tenait un peu moins à longueur de bras, mais ils se taisaient tous les deux. Soudain, en regardant les pieds de Phuong, si légers, si précis, diriger les piétinements patauds de son cavalier, je retombai amoureux. C'est à peine si je pouvais croire que dans une heure, deux heures, elle rentrerait avec moi dans cette maison sordide aux cabinets en commun, et aux vieilles femmes accroupetonnées sur le palier.

Je regrettais d'avoir entendu ces bruits qui couraient à propos de Phat Diem ; j'aurais préféré du moins qu'il se fût agi d'un autre endroit que de l'unique ville du Nord où mon amitié avec un officier de la marine française me permettait de m'introduire, en échappant à toute censure, à tout contrôle. Un reportage sensationnel ? Pas à cette époque où le monde entier ne voulait entendre parler que de la Corée. Une occasion de me faire tuer ? Pourquoi aurais-je envie de mourir puisque Phuong dormait à mes côtés toutes les nuits ? Mais je connaissais la réponse à cette question. Depuis mon enfance, je n'ai jamais cru à la permanence et pourtant je n'ai jamais cessé d'y aspirer. J'avais toujours peur de perdre mon bonheur. Ce mois-ci, l'année prochaine, Phuong me quitterait. Si ce n'était pas l'année prochaine, ce serait dans trois ans. La mort était la seule valeur absolue de mon univers. Quand on a perdu la vie, on ne peut plus rien perdre à jamais. J'enviais ceux qui peuvent croire en un Dieu et ils m'inspiraient de la méfiance. J'avais le sentiment qu'ils entretenaient leur courage à l'aide d'une fable concernant l'immuable et le permanent. La mort est beaucoup plus indéniable que Dieu, et avec la mort disparaît la possibilité quotidienne de voir mourir l'amour. Le cauchemar d'un avenir d'ennui et d'indifférence se dissipe. Je n'aurais jamais pu être pacifiste. Assurément, tuer un homme, c'est lui octroyer un inappréciable bienfait. Oh ! oui, les gens ont toujours et partout aimé leurs ennemis. C'est à leurs amis qu'ils réservent la souffrance et le néant.

— Pardonnez-moi de vous priver de miss Phuong, disait la voix de Pyle.

— Oh ! moi, je ne danse pas, mais j'aime la regarder danser.

On parlait toujours d'elle de cette manière à la troisième personne, comme si elle n'était pas là. Elle paraissait parfois invisible, comme la paix.

Les attractions de la soirée commencèrent : une chanteuse, un jongleur, un fantaisiste – ce qu'il disait était fort obscène, mais en regardant Pyle, je constatai qu'il ne comprenait manifestement rien à cet argot. Il souriait quand Phuong souriait, et riait d'un air gêné quand je riais.

— Je me demande où est Granger en ce moment, dis-je.

Et Pyle me lança un regard de reproche.

Puis vint le clou de la soirée : une troupe de garçons habillés en femmes. J'en avais vu beaucoup, en plein jour, qui allaient et venaient dans la rue Catinat en pantalons et chandails usagés ; le menton légèrement bleuté, ils balançaient les hanches. Ce soir-là, en robes du soir décolletées, avec leurs faux bijoux, leurs faux nichons et leurs voix de gorge, ils avaient l'air au moins aussi désirables que la plupart des Européennes de Saigon. Un groupe de jeunes officiers aviateurs leur adressèrent des coups de sifflet auxquels ils répondirent par des sourires ensorcelants. Je fus surpris de la brusque violence avec laquelle Pyle protesta.

— Fowler, dit-il, partons. Nous en avons vu assez, ne trouvez-vous pas ? Ceci n'est pas du tout convenable, pour elle.

Chapitre 4

1

Vue du clocher de la cathédrale, la bataille n'était que pittoresque, figée comme un panorama de la guerre des Boers dans un vieux numéro des *Illustrated London News*. Un avion parachutait des vivres à un poste isolé au milieu des *calcaires*, ces étranges montagnes de la frontière de l'Annam, rongées par les intempéries, et qui ressemblent à des entassements de pierre ponce ; et, comme l'appareil revenait planer à la même place, on aurait dit qu'il n'avait pas bougé et que le parachute était toujours au même point, à mi-chemin du sol. De la plaine montaient les éclatements des tirs de mortier, immuables flocons d'une fumée aussi solide que la pierre, tandis que le marché continuait de flamber, les flammes de l'incendie pâlissant au soleil. Les minuscules silhouettes des parachutistes avançaient en file indienne le long des canaux mais, de cette hauteur, ils paraissaient stationnaires. Même le prêtre, assis dans un coin de la tour à lire son bréviaire, ne changeait jamais d'attitude. À cette distance, la guerre était propre et minutieusement ordonnée.

J'étais arrivé de Nam Dinh avant l'aurore dans une chaloupe de débarquement. Nous n'avions pas pu aborder à la base navale parce qu'elle était isolée par l'ennemi qui encerclait complètement la ville dans un rayon de six cents mètres, aussi le bateau avait-il accosté à côté du marché en flammes. Nous étions une cible facile dans la lueur de l'incendie, mais pour quelque mystérieuse raison personne ne tira. Tout était silencieux, si ce n'est que les éventaires brûlés craquaient et s'effondraient lourdement. J'entendais au bord du fleuve une sentinelle sénégalaise changer de pas.

J'avais bien connu Phat Diem aux jours qui avaient précédé l'attaque : son unique rue longue et étroite, bordée d'échoppes en bois, coupée tous les cents mètres par un canal, une église et un pont. Le soir, elle n'était éclairée que par des bougies ou des petites lampes à huile (il n'y avait l'électricité, à Phat Diem, qu'au cantonnement des officiers français), et jour et nuit, la rue grouillait d'une foule bruyante. À son étrange manière médiévale, dans l'ombre et sous la protection du prince-évêque, ç'avait été la ville la plus vivante de tout le pays, et ce jour-là quand je débarquai et me rendis au quartier des officiers, c'était la plus morte. Gravats, débris de verre, odeur de peinture et de plâtre brûlés, la longue rue vide à perte de vue me rappelait une grande voie de Londres, le matin de bonne heure, après la sonnerie de fin d'alerte ; on s'attendait à y trouver un écriteau : « Engin non éclaté. »

La façade de la maison des officiers avait été soufflée par une bombe et, de l'autre côté de la rue, les maisons étaient en ruine. En descendant le fleuve depuis Nam Dinh, le lieutenant Péraud m'avait appris ce qui s'était passé. C'était un jeune homme sérieux, franc-maçon, et tout ceci lui apparaissait comme un châtiment pour les superstitions de ses semblables. L'évêque de Phat Diem était allé en Europe et en avait rapporté le culte de Notre-Dame de Fatima : cette apparition par laquelle la Vierge s'est manifestée au Portugal, croient les catholiques, à un groupe d'enfants. À son tour, il avait fait construire une grotte en son honneur dans l'enceinte de la cathédrale, et tous les ans il célébrait la fête de cette Vierge par une procession. Ses relations avec le colonel commandant les troupes franco-vietnamiennes avaient été tendues depuis le jour où les autorités avaient dispersé l'armée privée de l'évêque. Cette année-ci, le colonel – qui avait quelque sympathie pour l'évêque, car l'un et l'autre mettaient leur pays au-dessus du catholicisme – fit un geste d'amitié et marcha, accompagné de ses officiers supérieurs, en tête de la procession. Jamais foule plus nombreuse ne s'était amassée à Phat Diem pour honorer Notre-Dame de Fatima. Même, beaucoup de bouddhistes – qui représentaient environ la moitié de la population – ne purent résister à la joie du spectacle, et ceux qui ne croyaient ni à l'un ni à l'autre Dieu étaient convaincus que, mystérieusement, toutes ces bannières, ces encensoirs, et l'ostensoir d'or éloigneraient la guerre de leurs foyers. Tout ce qui restait de l'armée de l'évêque : sa fanfare, ouvrit la procession, et les officiers français, pleins de piété sur les ordres du colonel, suivirent comme des enfants de chœur ; franchissant le portail, pénétrant dans l'enceinte de la cathédrale, le cortège défila devant la blanche statue du Sacré-Cœur qui se dressait sur une île dans un petit lac sur le parvis de l'église, sous le clocher aux ailes orientales déployées, et entra dans l'étrange cathédrale de bois sculpté avec ses piliers gigantesques faits de troncs d'arbres entiers et son autel couvert de laque écarlate, plus bouddhiste que chrétien. De tous ces villages séparés par des canaux, de cette campagne des Pays-Bas où les jeunes pousses vertes du riz et les moissons dorées remplacent les tulipes, et les églises les moulins, les gens affluaient à Phat Diem.

Personne ne remarqua les agents viet-minhs qui s'étaient glissés dans la procession, et, tandis que le principal bataillon communiste franchissait les cols des *calcaires* et entrait dans la plaine tonkinoise, sous l'œil des Français impuissants qui gardaient le poste avancé perché dans la montagne, cette nuit-là, les éclaireurs viets frappèrent à Phat Diem.

Après quatre jours de combat, avec l'aide des parachutistes, l'ennemi avait été repoussé à près d'un kilomètre, où il encerclait la ville. C'était une défaite : les journalistes n'étaient pas autorisés à entrer, on ne pouvait expédier aucun télégramme, car les journaux ne doivent annoncer que les victoires. Les autorités m'auraient empêché de quitter Hanoï si elles avaient connu mes intentions, mais plus l'on s'éloigne du quartier général, plus la surveillance se relâche, et quand on arrive à portée du feu de l'ennemi, on est accueilli à bras ouverts ; ce qui constituait une menace pour l'état-major à Hanoï et un tracas pour le colonel commandant la place de Nam Dinh est, pour le lieutenant en campagne, une bonne plaisanterie, une distraction, une preuve de l'intérêt que lui porte le monde extérieur, grâce à quoi, pendant quelques heures bénies, il peut dramatiser légèrement le rôle qu'il joue et considérer sous un jour faussement héroïque jusqu'à ses propres morts et ses propres blessés.

Le prêtre referma son bréviaire et dit :

— Voilà, c'est fini.

Il était européen, mais pas français, car l'évêque n'aurait jamais toléré un prêtre français dans son diocèse. Il ajouta comme pour s'excuser :

— Comprenez-moi : il faut que je monte ici pour être un peu tranquille et échapper à tous ces pauvres gens.

Le bruit des mortiers semblait se rapprocher, ou peut-être étaient-ce les ennemis qui ripostaient enfin. L'étrange difficulté était de les trouver : il y avait une douzaine de fronts exigus et, entre les canaux, parmi les bâtiments de ferme et les rizières, d'innombrables possibilités d'embuscade.

Directement au-dessous de nous était l'entière population de Phat Diem, debout, assise et couchée ; catholiques, bouddhistes et païens, ils avaient tous empaqueté leurs objets les plus précieux : un fourneau, une lampe, un miroir, une armoire, quelques nattes de coco, une image sainte, et ils étaient venus se réfugier dans l'enceinte de la cathédrale. On était dans le Nord et il allait faire un froid piquant à la tombée de la nuit ; la cathédrale était déjà pleine, il ne restait plus d'abris ; même dans l'escalier qui montait jusqu'aux cloches, chaque marche était occupée, et les gens ne cessaient de se presser aux portes qu'ils franchissaient, chargés de leurs bébés et de leurs ustensiles de ménage. Ils croyaient, quelle que fût leur religion, que là ils seraient en sûreté. Tandis que nous regardions la scène, un jeune homme en uniforme vietnamien et portant un fusil se fraya un chemin pour entrer ; il fut arrêté par un prêtre qui lui enleva son fusil. Le curé qui était à côté de moi dit en manière d'explication :

— Ici nous sommes neutres. C'est le domaine de Dieu.

Je pensais : « Quelle étrange population pauvre, apeurée, affamée et tremblante de froid Dieu a dans son royaume ! (Le prêtre m'avait dit : "Je ne sais pas comment nous allons nourrir tous ces gens.") On s'attendrait à ce qu'un grand roi s'acquitte mieux de sa tâche que cela. » Mais je pensais aussi : « Partout où l'on va, c'est toujours la même chose, ce ne sont pas les souverains les plus puissants qui rendent leurs peuples le plus heureux. »

Des petites boutiques s'étaient déjà installées en bas.

— Cela ressemble à une énorme foire, n'est-ce pas ? dis-je. Mais on n'y voit pas un seul visage souriant.

— Ils ont eu horriblement froid la nuit dernière, dit le prêtre. Nous sommes forcés de tenir fermées les portes du monastère de crainte qu'ils ne nous submergent.

— Vous y avez tous bien chaud ? demandai-je.

— Pas très. Et nous n'aurions pas assez de place pour y recevoir le dixième de leur nombre. Oui, poursuivit-il, je sais ce que vous pensez. Mais il est essentiel que quelques-uns d'entre nous restent en bonne santé. Nous avons le seul hôpital de Phat Diem et nos seules infirmières sont ces religieuses.

— Et votre chirurgien ?

— Je fais ce que je peux.

Je vis alors que sa soutane était éclaboussée de sang.

— Êtes-vous venu jusqu'ici pour me voir ? demanda-t-il.

— Non, je cherchais à m'orienter.

— Je vous le demande parce qu'un homme est monté ici hier soir. Il voulait se confesser. C'est ce qu'il avait vu le long du canal, vous comprenez, qui lui avait fait un peu peur. On ne pouvait guère le lui reprocher.

— Ça va mal par là ?

— Les parachutistes les ont pris entre deux feux. Pauvres gens ! Je pensais que vous aviez peut-être le même sentiment.

— Je ne suis pas catholique. Je ne crois même pas que vous pourriez m'appeler un chrétien.

— C'est étrange l'effet de la peur sur un homme.

— Elle n'aurait jamais cet effet-là sur moi. Si je croyais en un Dieu quelconque, je continuerais à détester l'idée de me confesser. S'agenouiller dans une de vos boîtes. Me montrer nu à un autre homme. Il faut m'excuser, mon père, mais il y a là, je trouve, un côté morbide... un manque de virilité...

— Oh ! dit-il, d'un ton léger, je suppose que vous êtes un brave homme et que vous n'avez jamais eu à vous repentir de grand-chose.

Je suivis des yeux l'alignement des églises, posées à égale distance l'une de l'autre, le long des canaux, vers la mer. Une lumière jaillit de la seconde tour.

— Vos églises ne restent pas toutes neutres, pour ce que vous en dites.

— Ce serait impossible, répondit-il. Les Français ont accepté de ne pas toucher à l'enceinte de la cathédrale. Nous ne pouvons en demander plus. Ce que vous regardez là est un poste de la Légion étrangère.

— Il faut que je parte. Au revoir, mon père.

— Au revoir et bonne chance. Méfiez-vous des tireurs isolés.

Il me fallut jouer des coudes afin de me frayer un chemin à travers la foule, sortir de l'église, passer devant le lac et sa statue blanche aux bras étendus qui semblait sculptée dans du sucre, pour me retrouver dans la longue rue. La vue s'étendait à près de trois quarts de mille dans les deux sens, et il n'y avait en plus de moi, sur tout cet espace, que deux êtres vivants : deux soldats portant des casques camouflés qui remontaient lentement le bas-côté de la rue, leurs Stens prêtes à faire feu. Je dis deux êtres vivants, car un corps gisait dans une ouverture de porte, la tête sur la route. Le bourdonnement des mouches rassemblées là et le lourd flic flac des bottes des soldats qui décroissait en s'éloignant étaient les seuls bruits. Je passai rapidement à côté du cadavre en tournant la tête de l'autre côté. Quelques minutes plus tard, quand je regardai en arrière, j'étais tout à fait seul avec mon ombre et je n'entendais de bruits que ceux que je faisais. J'avais l'impression d'être une cible sur un champ de tir. Je pensai tout à coup que s'il m'arrivait quelque chose dans cette rue, il pourrait se passer bien des heures avant que je fusse découvert : les mouches auraient le temps de se rassembler.

Quand j'eus traversé deux canaux, je pris un tournant qui conduisait à une église. Une douzaine d'hommes, en tenues camouflées de parachutistes, étaient assis sur le sol, tandis que deux officiers examinaient une carte. Personne ne fit attention à moi quand je me joignis au groupe. Un homme qui portait la longue antenne d'un walkie-talkie dit :

— On peut y aller maintenant.

Et tout le monde se releva.

Je leur demandai dans un mauvais français si je pouvais les accompagner. Un des avantages de cette guerre, c'était qu'un visage d'Européen constituait en soi-même un passeport pour le champ de bataille : on ne pouvait pas soupçonner un Européen d'être un agent de l'ennemi.

— Qui êtes-vous ? demanda le lieutenant.

— J'écris des articles sur la guerre.

— Américain ?

— Non. Anglais.

— C'est une très petite opération, dit-il, mais si vous voulez venir avec nous...

Il fit le geste d'enlever son casque.

— Non, dis-je. Les casques sont pour les combattants.

— Comme vous voudrez.

Nous passâmes derrière l'église, en file indienne, le lieutenant ouvrant la marche, et nous fîmes une courte halte au bord d'un canal, afin que le soldat au walkie-talkie puisse entrer en communication avec les patrouilles des deux flancs. Les obus de mortiers filaient au-dessus de nos têtes et allaient éclater hors de vue. Nous avions pris d'autres hommes au passage derrière l'église et nous devions être une trentaine. Le lieutenant m'expliqua à voix basse, piquant sa carte du bout de son doigt :

— On en signale trois cents dans ce village-ci. Ils se rassemblent peut-être pour cette nuit. Nous ne savons pas. Personne ne les a encore découverts.

— À quelle distance ?

— Trois cents mètres.

Quelques mots furent transmis par l'appareil de TSF et nous poursuivîmes notre marche en silence. À droite, le canal rectiligne, à gauche la broussaille à ras de terre, puis des champs et de nouveau la broussaille.

— La route est libre, chuchota le lieutenant avec un geste rassurant de la main quand nous repartîmes.

Quarante mètres plus loin un autre canal, avec ce qui restait d'un pont (une simple planche sans garde-fou), nous coupait la route. Le lieutenant nous fit signe de nous déployer, et nous nous installâmes, accroupis, en face du territoire inconnu qui s'étendait à dix mètres de distance, de l'autre côté de la planche. Les hommes regardèrent l'eau, puis, comme s'ils en avaient reçu l'ordre, tous ensemble ils détournèrent les yeux. Pendant un moment, je ne vis pas ce qu'ils avaient vu, mais quand je l'eus vu, mon esprit, je ne sais pourquoi, retourna en arrière, jusqu'au Chalet, aux garçons en travesti féminin, aux jeunes soldats lançant des coups de sifflet et à Pyle disant : « Ce n'est pas du tout convenable. »

Le canal était plein de cadavres : il me vient maintenant l'image d'un ragoût qui contiendrait trop de viande. Les corps se chevauchaient ; une tête, d'un gris de phoque, aussi anonyme que celle d'un bagnard au crâne rasé, émergeait du canal comme une bouée. On ne voyait pas de sang : je suppose qu'il était écoulé depuis longtemps. Je n'ai aucune idée du nombre de ces morts ; ils avaient dû être surpris entre deux feux, en essayant de se replier, et je crois que chacun d'entre nous pensait : œil pour œil, dent pour dent. Moi aussi, je détournai les yeux ; nous ne tenions pas à ce qu'on nous rappelât que nous sommes si peu de chose et combien la mort vient vite, simplement, anonymement. Quoique ma raison aspirât à la mort, en tant qu'état, j'en avais peur comme une vierge redoute l'acte sexuel. Je souhaitais être averti d'avance de l'approche de la mort, afin d'avoir le temps de me préparer. Me préparer à quoi ? Je ne le savais pas, je ne savais pas non plus comment me préparer, en dehors d'un examen rapide de ce que j'allais quitter.

Le lieutenant était assis près de l'homme au walkie-talkie et regardait fixement le sol entre ses pieds. L'appareil se mit à crachoter des instructions et l'officier se leva avec un soupir comme s'il avait été tiré du sommeil. Il y avait une étrange camaraderie dans tous leurs mouvements ; on sentait qu'ils étaient entre égaux, occupés à une besogne qu'ils avaient accomplie ensemble un nombre incalculable de fois. Aucun n'attendait qu'on lui dise ce qu'il devait faire. Deux hommes se dirigèrent vers la planche et essayèrent de la traverser, mais ils étaient déséquilibrés par le poids de leurs armes et devaient parfois s'asseoir, à califourchon, et avancer centimètre par centimètre. Un autre soldat avait trouvé une barque cachée dans des buissons, en aval, et il la conduisit jusqu'à l'endroit où se tenait le lieutenant. Nous y entrâmes à six et il la dirigea à la perche vers l'autre rive, mais nous nous heurtâmes à un haut-fond de cadavres où nous restâmes bloqués. Il les repoussait à coups de perche, qu'il enfonçait dans cette argile humaine ; un corps fut libéré et vint flotter, étendu de tout son long, à côté de la barque, comme un baigneur reposant au soleil. Puis la barque se dégagea et, une fois de l'autre côté, nous nous hissâmes sur la rive sans regarder en arrière. Pas un coup de feu ; nous étions vivants ; la mort avait reculé, peut-être jusqu'au canal suivant. J'entendis derrière moi quelqu'un dire avec beaucoup de sérieux :

— *Gott sei dank.*

À part le lieutenant, ils étaient pour la plupart allemands.

Au-delà, se groupaient des bâtiments de ferme : le lieutenant y pénétra le premier, mains collées au mur, et nous suivîmes à la queue leu leu. Puis (une fois de plus sans que nul ordre eût été donné) les hommes s'éparpillèrent dans la ferme. Toute vie en avait fui : il ne restait même pas une poule. Mais, pendus au mur de ce qui avait été la salle commune, il y avait deux chromos hideux, du Sacré-Cœur et de la Vierge avec l'Enfant, qui donnaient à cet amas de maisons croulantes un air européen. L'on savait à quoi croyaient ces gens, même si l'on ne partageait pas leur croyance : c'étaient des êtres humains, et non uniquement des cadavres gris et vidés de leur sang.

À la guerre, on passe tant d'heures assis à ne rien faire en attendant quelqu'un ! En cette absence de certitude sur le laps de temps dont on dispose encore, on a le sentiment que rien ne vaut la peine d'être mis en train, pas même un enchaînement d'idées. Accomplissant le geste qu'elles avaient fait si souvent, les sentinelles s'écartèrent. Désormais, tout ce qui bougeait en avant de nous était ennemi. Le lieutenant fit le point sur sa carte et transmit par radio notre position. Le silence de midi enveloppait tout : les mortiers eux-mêmes s'étaient tus et le ciel était vide d'avions. Un homme tenait une petite branche dont il fouillait la boue de la basse-cour. Au bout d'un moment, on aurait dit que la guerre nous avait oubliés. J'espérais que Phuong avait envoyé mes costumes chez le teinturier. Un vent froid dispersa la paille de la cour et, pudiquement, un homme passa derrière la grange pour se soulager. J'essayais de me rappeler si j'avais payé au consul d'Angleterre à Hanoï la bouteille de whisky qu'il m'avait cédée.

Deux coups de feu furent tirés de notre première ligne et je pensai : « Ça y est. Ça commence. » C'était tout l'avertissement que je désirais. J'attendis, avec une joie profonde, la chose immuable.

Mais rien ne se produisit. Une fois de plus j'avais *overprepared the event*[1]. Seulement, quelques longues minutes après, une des sentinelles entra et fit son rapport au lieutenant. J'entendis :

— *Deux civils.*

— Allons voir, me dit le lieutenant.

Derrière la sentinelle, nous suivîmes entre deux champs un sentier boueux envahi par l'herbe, en cherchant où mettre les pieds. Vingt mètres au-delà de la ferme, dans un étroit fossé, nous trouvâmes ce que nous cherchions : une femme et un petit garçon. Ils étaient visiblement morts : un petit caillot de sang très net au front de la femme ; l'enfant paraissait endormi. Il avait environ six ans et il était replié comme un fœtus dans la matrice, ses petits genoux osseux remontés sous son menton.

— *Malchance*, dit le lieutenant.

Il se pencha et retourna l'enfant. Celui-ci portait au cou une petite médaille sainte et je me dis en moi-même : « Le gri-gri n'a pas agi. » Sous son corps, il y avait un morceau de pain mordillé. « Je hais la guerre », pensai-je.

— En avez-vous vu assez ? me demanda le lieutenant d'un air farouche, presque comme si j'étais responsable de ces morts.

---

1. « Je m'étais exagérément préparé à toute éventualité. » Ezra Pound, *The Psychological Hour* – (Villanelle).

Peut-être le civil est-il, aux yeux du soldat, l'homme qui l'emploie pour tuer, qui glisse le poids du meurtre dans l'enveloppe de sa solde, pour se débarrasser de toute responsabilité ? Nous revînmes dans la ferme et, de nouveau, nous nous assîmes en silence sur la paille, à l'abri du vent qui, tel un animal, semblait savoir que la nuit allait tomber. L'homme qui avait fouillé le sol était allé se soulager et celui qui s'était soulagé était en train de fouiller le sol. Je pensai qu'à l'un de ces moments de calme, où les sentinelles sont à leur poste, ces gens avaient dû croire qu'ils pouvaient sans danger s'aventurer hors de leur fossé. Je me demandai s'ils y étaient depuis longtemps, le pain était très sec. Cette ferme était sans doute leur habitation.

La radio s'était remise à fonctionner.

— Ils vont bombarder le village, dit le lieutenant d'un air las, les patrouilles sont rappelées pour la nuit.

Nous nous levâmes, et revenant vers l'endroit d'où nous étions partis, en louvoyant de nouveau au milieu des cadavres, nous contournâmes l'église en file indienne. Nous n'étions pas allés bien loin et pourtant ce voyage, dont le seul résultat était ces deux morts, nous avait semblé long. Les avions avaient décollé et, derrière nous, le bombardement commençait.

Le soir tombait quand j'arrivai au quartier des officiers où j'allais passer la nuit. La température n'était plus qu'un degré au-dessus de zéro et l'unique source de chaleur était le marché en flammes. Avec un mur détruit par un bazooka et les portes gondolées, les rideaux de toile ne suffisaient pas à arrêter les courants d'air. La dynamo ne marchait pas, et nous dûmes dresser des barricades de caisses et de livres pour permettre aux bougies de brûler. Je jouai pour de la monnaie communiste, au 421, avec un certain capitaine Sorel ; impossible de jouer les consommations car j'étais l'invité du mess. La chance passait de l'un à l'autre avec monotonie. Je débouchai ma bouteille de whisky pour essayer de nous réchauffer un peu, et tous firent cercle autour de nous.

— C'est le premier verre de whisky que je bois depuis que j'ai quitté Paris, dit le colonel.

Un lieutenant rentra après sa ronde d'inspection des sentinelles.

— Nous aurons peut-être une nuit calme, dit-il.

— Ils n'attaqueront pas avant quatre heures, dit le colonel. Avez-vous un revolver ? me demanda-t-il.

— Non.

— Je vous en trouverai un. Il sera prudent de le mettre sous votre oreiller.

Il ajouta avec courtoisie :

— J'ai peur que vous ne trouviez votre matelas très dur. Et, à trois heures et demie, le tir des mortiers reprendra. Nous essayons de briser toutes les tentatives de concentration.

— Combien de temps croyez-vous que cela va durer ?

— Qui sait ? Nous ne pouvons plus retirer de troupes de Nam Dinh. Ceci n'est qu'une diversion. Si nous pouvons tenir sans autres effectifs que nous n'en avions il y a deux jours, on pourra appeler cela une victoire.

Le vent rôdait de nouveau autour de la maison, cherchant une entrée. Le rideau de toile se gonflait (je pensais à Polonius poignardé derrière la tapisserie) et la flamme de la bougie vacillait. Les ombres avaient une allure théâtrale. On aurait pu nous prendre pour une troupe d'acteurs ambulants, réunis dans une grange.

— Vos postes ont-ils tenu bon ?

— Autant que nous le sachions.

Il ajouta, et ses paroles reflétaient une grande lassitude :

— Ceci n'est rien, comprenez-le, c'est une affaire sans importance en comparaison de ce qui se passe à cent kilomètres d'ici, à Hoa Binh. Là, c'est une bataille.

— Un autre verre, colonel ?

— Non, merci. Il est merveilleux, votre whisky anglais, mais il faut en garder un peu pour la nuit, en cas de besoin. Je crois, et vous voudrez bien m'excuser, que je vais aller faire un somme. On ne peut plus dormir, une fois que les mortiers ont commencé. Capitaine Sorel, vous veillerez à ce que M. Foulair ait tout ce qu'il lui faut : bougie, allumettes, un revolver.

Il entra dans sa chambre.

Ce fut le signal et nous nous retirâmes tous. On avait placé pour moi un matelas sur le sol d'une petite réserve et j'étais entouré de caisses d'emballage. Je ne restai éveillé qu'un très court moment : la dureté du sol était reposante. Je me demandai, avec une absence étrange de jalousie, si Phuong était restée dans l'appartement. La possession d'un corps semblait être ce soir-là une très petite chose... peut-être avais-je vu dans la journée trop de corps qui n'appartenaient à personne, fût-ce à eux-mêmes. Nous tombons tous dans les frais généraux. Quand je m'endormis, je rêvai de Pyle. Il dansait, seul, sur une scène de théâtre, raide, les bras tendus vers une cavalière invisible ; moi, j'étais assis sur un siège semblable à un tabouret de piano et je le suivais des yeux, un revolver à la main, prêt à tirer si quelqu'un venait déranger sa danse. Sur un programme affiché à côté de la scène, comme le sont les numéros dans un music-hall anglais, on lisait : « La Danse de l'Amour. Certificat A[1]. » Quelqu'un bougea au fond du théâtre et mes doigts se serrèrent sur mon revolver. Alors, je m'éveillai.

J'avais dans la main le revolver qu'on m'avait prêté, et un homme se tenait debout sur le seuil, une bougie à la main. Il portait un casque d'acier qui projetait une ombre sur ses yeux et je ne sus que c'était Pyle qu'au moment où il parla.

— Je suis absolument désolé de vous réveiller, dit-il timidement. On m'a dit que je pouvais dormir ici.

Je n'étais pas encore complètement réveillé.

— Où avez-vous trouvé ce casque ? demandai-je.

---

1. Censure anglaise. *Certificat A* : spectacle réservé aux adultes.

— Oh ! quelqu'un me l'a prêté, expliqua-t-il d'une manière vague.

Il traîna jusque dans la pièce une musette de soldat et se mit à en extraire un sac de couchage doublé de laine.

— Vous êtes très bien équipé, dis-je en essayant de me rappeler pourquoi nous étions là, lui et moi.

— C'est l'équipement standard de nos sections d'aide médicale. Ils m'en ont prêté un à Hanoï.

Il en sortit un thermos et une petite lampe à alcool, une brosse à cheveux, tout un attirail pour se raser et une boîte de rations. Je regardai ma montre. Il était près de trois heures du matin.

2

Pyle continuait de déballer son sac. Il construisit une petite corniche de caisses sur laquelle il posa son miroir à barbe et tous ses instruments.

— Je doute que vous trouviez de l'eau, dis-je.

— Oh ! j'en ai assez dans le thermos pour demain matin.

Il s'assit sur son sac de couchage et se mit à enlever ses chaussures.

— Comment diable êtes-vous arrivé jusqu'ici ? demandai-je.

— On m'a laissé passer jusqu'à Nam Dinh pour inspecter nos services de lutte contre la conjonctivite. Ensuite j'ai loué un bateau.

— Un bateau ?

— Oh ! une espèce de barque à fond plat, je ne sais pas comment ça s'appelle. En fait, il a fallu que je l'achète. Ça ne coûte pas cher.

— Et vous avez descendu le fleuve tout seul ?

— Je n'ai pas eu de réelles difficultés, vous savez. Le courant me portait.

— Vous êtes fou à lier.

— Oh ! non. Le seul vrai danger était de m'échouer à la rive.

— Ou d'être canardé, soit par une patrouille navale, soit par un avion français. Aussi d'avoir la gorge tranchée par les Viet-minhs.

Il rit timidement.

— Eh bien ! me voilà ici tout de même, dit-il.

— Et pourquoi ?

— Oh ! il y a deux raisons. Mais je ne veux pas vous tenir éveillé.

— Je n'ai pas sommeil. La canonnade va bientôt commencer.

— Cela vous gênerait-il que je déplace la bougie ? C'est un peu aveuglant dans ce coin.

Il paraissait agité.

— Voyons la première raison.

— Eh bien ! l'autre jour, vous m'avez donné l'impression que cet endroit était assez intéressant. Vous vous rappelez quand nous étions avec Granger... et Phuong.

— Oui ?

— J'ai pensé que je viendrais y jeter un coup d'œil. À vous dire vrai, j'avais un peu honte de Granger.

— Je vois. Pas plus compliqué que cela.

— C'est vrai, ça n'a pas été très compliqué, en somme. Il se mit à jouer avec ses lacets de souliers, et il y eut un long silence.

— En ce moment, je ne suis pas très honnête, dit-il à la fin.

— Vraiment ?

— En réalité, je suis venu pour vous voir.

— Vous êtes venu jusqu'ici pour me voir ?

— Oui.

— Pourquoi ?

Cessant de fixer ses lacets, il releva la tête, intimidé jusqu'à la souffrance.

— Il fallait que je vous dise... je suis tombé amoureux de Phuong.

J'éclatai de rire. Je ne pus m'en empêcher. Il était si imprévu et si solennel.

— Ne pouviez-vous pas attendre mon retour ? lui dis-je. Je serai à Saigon la semaine prochaine.

— Et si vous aviez été tué ? dit-il. Ça n'aurait pas été honorable. Et puis, je ne sais pas si j'aurais pu me retenir aussi longtemps d'aller voir Phuong.

— Dois-je comprendre que vous vous êtes retenu ?

— Naturellement. Vous ne pensez pas que je le lui aurais dit, avant de vous en avertir.

— Il y a des gens qui le font, dis-je. Quand est-ce arrivé ?

— Je crois que c'est l'autre soir, au Chalet, en dansant avec elle.

— Je n'aurais jamais pensé que vous étiez assez près.

Il me regarda d'un air perplexe. Si je trouvais sa conduite démente, il était évident que la mienne lui paraissait inexplicable.

— Vous savez, je crois que cela vient de ce que j'ai vu toutes ces filles dans cette maison. Elles étaient si jolies ! Phuong aurait pu être l'une d'elles. J'ai éprouvé le besoin de la protéger.

— Je ne crois pas qu'elle ait besoin de protection. Miss Hei vous a-t-elle invité ?

— Oui, mais je n'y suis pas allé. Je me suis retenu.

Il ajouta d'un air sombre :

— Ç'a été épouvantable. Je me fais l'effet d'un type dégoûtant mais, croyez-moi je vous en prie, si vous aviez été mariés... Jamais je ne chercherais à m'introduire entre une femme et son mari.

— Vous me semblez bien sûr de pouvoir vous introduire, dis-je.

Pour la première fois, il m'avait agacé.

— Fowler, dit-il, je ne sais pas votre nom de baptême...

— Thomas. Pourquoi ?

— Vous permettez que je vous appelle Tom ? J'ai l'impression que ceci nous a rapprochés. Je veux dire d'aimer la même femme.

— Et qu'allez-vous faire à présent ?

L'air enthousiaste, il se redressa, adossé aux caisses d'emballage.

— Tout me paraît différent maintenant que vous savez, dit-il. Je vais lui demander de m'épouser, Tom.

— J'aimerais mieux que vous m'appeliez Thomas.

— Elle devra choisir entre vous et moi, Thomas. Simplement. En toute justice.

Mais était-ce juste ? Je me sentais pour la première fois parcouru d'un frisson glacé, avant-coureur de solitude. Tout cela était extravagant et tout de même... tout de même... Pyle était peut-être un amant indigent, mais l'homme indigent, c'était moi. Il avait en main l'infinie fortune de la respectabilité.

Il commença à se déshabiller et je pensai : « Il a aussi la jeunesse. » Comme c'était triste d'en être contraint à envier Pyle !

— Je ne peux pas l'épouser, dis-je. J'ai une femme en Angleterre. Jamais elle n'acceptera de divorcer. Elle est membre de la Haute-Église, si vous savez ce que cela veut dire.

— Je suis désolé pour vous, Thomas. Au fait, mon prénom est Alden, si vous préfériez...

— Je préfère m'en tenir à Pyle, répondis-je. Je pense à vous sous ce nom-là.

Il entra dans son sac de couchage et allongea la main vers la bougie.

— Ouf ! dit-il. Je suis content que ça soit terminé, Thomas. Ça m'a rendu tellement malheureux : j'en étais malade !

Il n'était que trop visible qu'il était guéri.

Quand la bougie fut éteinte, je ne pus distinguer que le profil de sa coupe de cheveux qui se détachait sur la lueur de l'incendie au-dehors.

— Bonsoir, Thomas. Dormez bien.

Et sur ces mots, immédiatement, comme une réplique trop prévue dans une mauvaise comédie, les mortiers se déclenchèrent, ronflant, sifflant, éclatant.

— Bon Dieu, dit Pyle, est-ce une attaque ?

— Ils essaient d'empêcher une attaque.

— Bon, je suppose que c'est la fin de notre nuit de sommeil !

— C'est la fin.

— Thomas, je veux que vous sachiez ce que je pense de la façon dont vous avez pris tout ceci. Je trouve que vous avez été épatant, épatant, il n'y a pas d'autre mot.

— Merci.

— Vous avez une connaissance du monde que je n'ai pas. Vous savez, Boston est, à beaucoup de points de vue, un peu rétréci. Même si vous n'êtes pas un Lowell ou un Cabot. Je voudrais que vous me conseilliez, Thomas.

— À quel sujet ?

— Phuong.

— Si j'étais vous, je me méfierais de mes conseils. Je suis de parti pris. Je veux la garder.

— Oh ! mais je connais votre droiture, votre parfaite droiture, et nous prenons tous les deux à cœur les intérêts de Phuong.

Brusquement, je ne pus plus supporter son infantilisme.

— Je me fiche pas mal de ses intérêts, dis-je. Vous pouvez vous occuper de ses intérêts. Tout ce que je désire, c'est son corps. Je la veux dans mon lit. J'aimerais mieux travailler à sa ruine en couchant avec elle que, que... m'occuper de ses foutus intérêts.

Il fit : « Oh ! » d'une voix faible, dans le noir.

— Si ce sont seulement ses intérêts qui vous préoccupent, continuai-je, pour l'amour du Ciel, laissez-la tranquille ! Comme toutes les femmes, elle préfère de beaucoup un bon...

Un éclatement de mortier épargna le mot anglo-saxon à des oreilles bostoniennes.

Mais il y avait chez Pyle un côté implacable. Il avait décidé que ma conduite était noble : il fallait donc que ma conduite fût noble.

— Je me rends compte de ce que vous souffrez, Thomas.

— Je ne souffre pas.

— Oh ! mais si, mais si. Je sais combien je souffrirais s'il fallait que je renonce à Phuong.

— Mais je n'ai pas renoncé à elle.

— Le côté physique m'intéresse aussi, Thomas, mais j'abandonnerais tout espoir de cela pour faire le bonheur de Phuong.

— Elle est heureuse.

— Elle ne peut pas l'être... pas dans cette situation. Il faut qu'elle ait des enfants.

— Croiriez-vous vraiment toutes les sornettes que sa sœur...

— Une sœur sait quelquefois beaucoup mieux...

— Elle vous a tendu ce panneau, Pyle, uniquement parce qu'elle s'imagine que vous avez plus d'argent que moi. Et, mon Dieu ! vous êtes tombé dans le panneau.

— Je n'ai que mes appointements.

— Enfin ! Vous bénéficiez d'un change favorable.

— Ne soyez pas amer, Thomas. Ces choses-là arrivent. Vous êtes le dernier sur qui j'aurais voulu que ça tombe. Ces mortiers, est-ce que ce sont les nôtres ?

— Oui, ce sont « nos » mortiers. Vous parlez comme si Phuong allait me quitter, Pyle.

— Naturellement, dit-il sans la moindre conviction, elle choisira peut-être de rester avec vous.

— Et alors, que feriez-vous ?

— Je demanderais mon changement de poste.

— Pourquoi ne partez-vous pas tout de suite, Pyle, sans créer tous ces ennuis ?

— Ce ne serait pas agir honnêtement envers elle, Thomas, dit-il avec un grand sérieux.

Je n'ai jamais rencontré d'homme qui eût de meilleurs motifs pour tout le mal qu'il faisait.

— Je ne crois pas, ajouta-t-il, que vous compreniez très bien Phuong.

En m'éveillant ce matin-là, quelques mois plus tard, avec Phuong à mes côtés, je pensai : « Et vous, la compreniez-vous ? Auriez-vous pu prévoir cette situation ? Phuong dormant tout heureuse près de moi et vous mort ? » Le temps prend sa revanche, mais les revanches sentent bien souvent l'aigre : ne ferions-nous pas mieux, les uns et les autres, de renoncer à comprendre, d'accepter le fait qu'aucun être humain n'en comprendra jamais un autre, la femme son mari, l'amant sa maîtresse, les parents leurs enfants ? Peut-être est-ce pour cela que les hommes ont inventé Dieu... un être capable de comprendre. Si j'avais le désir de comprendre ou d'être compris, peut-être arriverais-je à me monter le coup jusqu'à croire en lui, mais je suis reporter ; Dieu n'existe que pour les éditorialistes.

— Êtes-vous sûr qu'il y ait grand-chose à comprendre ? demandai-je à Pyle. Oh ! et puis flûte, buvons du whisky, il y a trop de bruit pour qu'on puisse discuter.

— C'est un peu tôt, dit Pyle.

— C'est bougrement tard.

J'emplis deux verres et Pyle levant le sien regarda la lumière de la bougie au travers du whisky. Sa main tremblait chaque fois qu'un obus éclatait, et pourtant il avait fait ce voyage insensé depuis Nam Dinh.

— C'est étrange, dit-il, mais nous n'arrivons ni vous ni moi à souhaiter « bonne chance » à l'autre.

Nous bûmes donc en silence.

Chapitre 5

1

J'avais prévu que je resterais absent de Saigon pendant huit jours, mais je n'y revins qu'au bout de trois semaines ou peu s'en faut. D'abord, j'eus beaucoup plus de difficultés à sortir de la zone de Phat Diem que je n'en avais eu pour y entrer. La route était coupée entre Nam Dinh et Hanoï, et l'on ne pouvait disposer d'un avion de transport pour un reporter isolé qui, de toute façon, n'aurait pas dû se trouver où il était. Puis, quand j'arrivai à Hanoï, les correspondants venaient d'y être convoyés par air afin d'enregistrer la dernière victoire, et l'appareil qui les ramenait était plein : pas une seule place pour moi. Pyle était sorti de Phat Diem le matin même de son arrivée ; il avait rempli sa mission : me parler de Phuong. Rien ne le retenait. Je l'avais laissé endormi quand les mortiers s'étaient tus, à cinq heures trente, et quand j'étais revenu, après avoir pris une tasse de café et quelques biscuits au mess, il n'y était plus. Je supposai qu'il était allé faire un tour... quand on a descendu la rivière à la perche depuis Nam Dinh, l'on ne saurait se tracasser pour quelques tireurs isolés. Il était d'ailleurs aussi incapable d'imaginer la souffrance ou le danger en ce qui le concernait qu'il était incapable de concevoir la souffrance qu'il pouvait infliger aux autres.

Dans une certaine circonstance – mais ce fut plusieurs mois plus tard – je perdis mon sang-froid et je lui mis de force le pied dedans, je veux dire dans la souffrance, et je me rappelle qu'il détourna la tête, regarda d'un air perplexe ses chaussures souillées et dit :

— Il faut que je les fasse cirer avant d'aller chez le ministre.

Je sus alors qu'il employait déjà, en parlant, le style qu'il avait appris dans York Harding. Et pourtant, il était sincère à sa manière : c'était par suite de coïncidences que les sacrifices incombaient toujours aux autres... jusqu'à cette ultime nuit sous le pont de Dakow.

Ce fut seulement en rentrant à Saigon que j'appris comment Pyle, pendant que je buvais mon café, avait persuadé un jeune officier de marine de l'emmener sur une chaloupe de débarquement qui, après une patrouille de routine, le déposa subrepticement à Nam Dinh. Il était en veine et il rentra à Hanoï, avec son équipe de « traitement de la conjonctivite » vingt-quatre heures avant que la route fût officiellement considérée comme coupée. Quand j'arrivai à Hanoï, il était déjà reparti pour le Sud, en laissant un message pour moi au barman du camp de presse.

Cher Thomas, écrivait-il, *je ne peux pas vous dire combien vous avez été merveilleux l'autre nuit. Je vous avoue maintenant que je n'en menais pas large en entrant dans cette chambre où vous étiez*. (S'était-il donc senti sans alarme pendant son long voyage en barque sur le fleuve ?) *Il n'y a pas beaucoup d'hommes qui auraient pris la chose aussi calmement. Vous avez été splendide, et je me sens beaucoup moins méprisable maintenant que je vous ai tout dit*. (Je pensai avec colère : « Est-il le seul qui compte ? » Et je savais pourtant qu'il ne le disait pas dans ce sens. Pour lui, toute l'histoire prendrait un tour plus heureux dès qu'il cesserait de se sentir coupable. Je serais plus heureux, Phuong serait plus heureuse, le monde entier serait plus heureux, y compris même l'attaché économique et le ministre. Le printemps brillait sur l'Indochine maintenant que Pyle ne se sentait plus coupable.)

Je vous ai attendu ici vingt-quatre heures, mais si je ne pars pas aujourd'hui, je ne pourrai pas être rentré à Saigon avant une semaine, et mon vrai travail est dans le Sud. J'ai dit aux camarades qui travaillent à la « Conjonctivite » de vous saisir au passage : ils vous plairont. Ce sont des types chics et qui font du bon boulot. Ne vous faites pas de souci parce que je rentre à Saigon avant vous. Je vous promets de ne pas voir Phuong d'ici à votre retour. Je ne veux pas que plus tard vous ayez l'impression que j'ai manqué de loyauté envers vous. Cordialement à vous. Alden.

De nouveau, cette calme assertion que c'était moi qui allais perdre Phuong. La confiance se base-t-elle sur le taux du change ? On dit parfois d'un homme qu'il a une nature en or. Devons-nous aujourd'hui apprécier l'amour en termes d'or et y aurait-il un amour-dollar ? L'amour-dollar, bien entendu, implique le mariage, un fils (« Junior »), et la fête des Mères, même si tout cela se termine à Reno ou aux Virgin Islands, ou Dieu sait où ils vont maintenant pour leurs divorces. L'amour-dollar a de bonnes intentions, la conscience limpide, et le reste du monde peut aller se faire foutre. Mais mon amour était sans intention aucune : il connaissait l'avenir. Tout ce que je pouvais faire, c'était essayer de rendre cet avenir moins dur, préparer l'avenir doucement, à mesure qu'il venait, et en cela l'opium lui-même avait son importance. Mais je ne prévoyais pas que l'avenir auquel il me faudrait préparer Phuong avec ménagements commencerait par la mort de Pyle.

N'ayant rien de mieux à faire, j'allai à la conférence de presse. Granger, naturellement, y était. Un jeune et trop beau colonel français la présidait. Il parlait français et un officier subalterne traduisait. Les correspondants français s'étaient groupés, comme une équipe de football rivale. J'avais de la difficulté à concentrer mon attention sur ce que disait le colonel ; mon esprit ne cessait de revenir à Phuong et à cette unique pensée : « Et si Pyle avait raison, si je la perdais, où aller à partir de là ? »

L'interprète parlait :

— Le colonel vous informe que l'ennemi a essuyé une dure défaite et subi de lourdes pertes qui équivalent à l'effectif d'un bataillon. Les derniers détachements se replient en ce moment et traversent le fleuve Rouge sur des radeaux improvisés. Ils sont bombardés sans arrêt par notre aviation.

Le colonel passa la main dans ses élégants cheveux blonds et, brandissant sa longue baguette, se livra à une sorte de danse le long des grandes cartes fixées au mur.

— Quelles sont les pertes françaises ? demanda un correspondant américain.

Le colonel avait fort bien compris la question : c'était celle qu'on lui posait généralement à ce stade de la conférence, mais il s'immobilisa, la baguette levée, un bon sourire aux lèvres comme un maître d'école aimé de sa classe, jusqu'à ce que l'interprète en eût donné la traduction. Alors, il répondit avec une ambiguïté patiente.

— Le colonel dit que nos pertes ne sont pas élevées. Le chiffre exact n'en est pas encore connu.

Ces mots donnaient toujours le signal de l'agitation. On aurait cru que tôt ou tard le colonel trouverait une formule pour venir à bout de cette classe indisciplinée, ou que le proviseur nommerait à sa place un professeur capable de faire mieux régner l'ordre.

— Le colonel parle-t-il sérieusement, demanda Granger, lorsqu'il nous dit qu'il a eu le temps de compter les morts ennemis et pas les siens ?

Patiemment, le colonel tissa sa toile d'évasion, tout en sachant parfaitement bien qu'elle serait détruite par une nouvelle question. Les correspondants français étaient sombres et silencieux. Si les correspondants américains, à force de le piquer au vif, forçaient le colonel à admettre les faits, ils seraient prompts à s'en emparer, mais ils refusaient de harceler, eux aussi, leur compatriote.

— Le colonel dit que les forces ennemies fuient en déroute. Il est possible de compter les morts derrière la ligne de feu, mais tant que la bataille se poursuit, vous ne pouvez attendre de chiffres concernant les unités françaises qui se portent en avant.

— Il ne s'agit pas de ce que nous attendons, dit Granger. Il s'agit de ce que l'état-major sait ou ne sait pas. Voulez-vous sérieusement nous faire croire que les sections de combat ne rendent pas compte de leurs pertes au fur et à mesure par talkie-walkie ?

L'humeur du colonel commençait à se gâter. Si seulement, pensais-je, il avait relevé le défi dès le début, et s'il nous avait répondu nettement qu'il connaissait les chiffres, mais ne les donnerait pas ! Après tout, c'était leur guerre et pas la nôtre. Aucun renseignement ne nous était dû par droit divin. Nous n'avions pas à combattre les députés de gauche à Paris, en même temps que les troupes de Ho Chi-Minh entre le fleuve Rouge et la rivière Noire. Ce n'était pas nous qui mourions.

Le colonel lâcha brusquement l'information que les pertes françaises étaient proportionnellement de un pour trois, puis il nous tourna le dos et regarda sa carte d'un air furieux. C'étaient ses hommes qui étaient morts, les officiers ses camarades, sortant de la même promotion de Saint-Cyr, ce n'étaient pas des chiffres comme pour Granger.

— Enfin, nous voilà un peu plus avancés ! dit Granger en regardant ses compagnons, d'un air de triomphe balourd.

Les Français, tête basse, prenaient des notes, farouchement.

— On ne pourrait pas en dire autant en Corée, lançai-je, feignant délibérément de ne pas comprendre, mais je n'avais réussi qu'à fournir à Granger une nouvelle piste à suivre.

— Demandez au colonel, dit-il, ce que les Français vont faire à présent. Il dit que l'ennemi en déroute traverse le fleuve Noir...

— Le fleuve Rouge, corrigea l'interprète.

— Je me fiche pas mal de la couleur du fleuve. Ce que nous voulons savoir, c'est : que vont faire les Français ?

— Les ennemis sont en fuite.

— Qu'arrivera-t-il lorsqu'ils seront sur l'autre rive ? dit Granger. Qu'allez-vous décider à ce moment-là ? Vous contenterez-vous de vous asseoir sur la berge et de dire : « C'est fini ? » (Les officiers français, tristes et résignés, écoutaient sa voix d'énergumène.) Allez-vous leur envoyer des cartes de Noël ?

Le capitaine traduisit la question avec soin, y compris les mots « cartes de Noël ».

Le colonel esquissa un pâle sourire.

— Pas des cartes de Noël, dit-il.

Je crois que la jeunesse et la beauté du colonel irritaient particulièrement Granger. Le colonel n'était pas, du moins de l'avis de Granger, un homme très viril.

— Vous ne leur envoyez pas grand-chose d'autre ! dit-il.

Le colonel répliqua brusquement en anglais, en bon anglais.

— Si les munitions promises par les Américains étaient arrivées, dit-il, nous aurions quelque chose de plus à leur envoyer.

C'était au fond, en dépit de son élégance, un homme simple. Il croyait qu'un correspondant de journal attachait moins d'importance aux nouvelles qu'à l'honneur de son pays.

Granger dit d'une voix brève (compétent, il conservait les dates gravées dans la mémoire) :

— Voulez-vous dire que les fournitures promises pour le début de septembre ne sont pas arrivées ?

— Exactement.

Granger tenait son information : il se mit à écrire.

— Je regrette, dit le colonel, mais ce que je viens de vous dire n'est pas destiné à la publication : je vous donne un arrière-plan.

— Mais colonel, protesta Granger, c'est de l'information. Nous pouvons vous aider, là.

— Non, non, la question regarde les diplomates.

— Quel mal cela peut-il faire ?

Les correspondants français étaient tout à fait désemparés. Ils savaient très peu d'anglais. Le colonel agissait contre les règles. Ils échangèrent des murmures de mécontentement.

— Je ne suis pas juge, poursuivit le colonel. Peut-être les journaux américains diraient-ils : « Oh ! les Français se plaignent toujours, mendient toujours. » Et à Paris ce serait l'accusation communiste : les Français versent leur sang pour l'Amérique et l'Amérique n'envoie même pas un hélicoptère usagé. À quoi bon ? À la fin, nous manquerions toujours d'hélicoptères et l'ennemi serait toujours là, à soixante kilomètres de Hanoï.

— Du moins, je peux imprimer, n'est-ce pas, que vous avez grand besoin d'hélicoptères ?

— Vous pouvez écrire, dit le colonel, qu'il y a six mois nous avions trois hélicoptères et que maintenant nous en avons un. « Un », répéta-t-il avec une sorte de stupéfaction amère. Vous pouvez écrire que, dans ces combats, si un homme est blessé, pas très gravement, simplement touché, il sait qu'il est probablement un homme mort. Douze heures, parfois vingt-quatre heures sur un brancard pour parvenir à l'ambulance, sur de mauvaises pistes, une panne, parfois une embuscade, la gangrène. Il vaut mieux être tué sur le coup.

Les correspondants français, penchés en avant, essayaient de comprendre.

— Vous pouvez écrire cela, conclut-il, sa beauté physique ne faisant qu'accentuer son expression venimeuse. *Interprétez*, ordonna-t-il.

Et il quitta la pièce, laissant au capitaine la tâche insolite de traduire de l'anglais en français.

— J'ai mis le doigt sur la plaie, dit Granger avec satisfaction.

Et il s'en alla dans un coin près du bar pour rédiger son télégramme. Le mien ne prit pas longtemps : rien de ce que je pouvais écrire de Phat Diem ne serait accepté par les censeurs. Si l'histoire m'avait paru assez bonne, j'aurais toujours pu prendre l'avion pour Hongkong, et l'envoyer de là-bas. Mais y a-t-il une nouvelle qui soit assez bonne pour qu'on risque de se faire expulser ? J'en doute. L'expulsion serait la fin de toute ma vie ; ce serait la victoire de Pyle ; et voilà qu'en rentrant à mon hôtel, je trouvai justement la victoire de Pyle qui m'attendait dans mon casier, la fin : le télégramme où, avec des félicitations, on m'annonçait que je montais en grade. Dante n'avait jamais pensé à ce tour d'écrou pour ses amants maudits. Paolo n'a jamais reçu sa promotion pour le purgatoire.

Je montai retrouver ma chambre nue et le robinet d'eau froide qui fuyait (il n'y avait pas d'eau chaude à Hanoï), et je m'assis sur le bord de mon lit, avec au-dessus de ma tête la moustiquaire en paquet, semblable à un nuage gonflé. J'allais être le nouveau rédacteur chargé des nouvelles de l'étranger, qui arrive tous les après-midi à trois heures et demie, dans ce sinistre immeuble victorien proche de la gare de Blackfriars, où l'on voit, près de l'ascenseur, une plaque à la mémoire de lord Salisbury. On m'avait fait suivre la bonne nouvelle de Saigon, et je me demandais si elle était déjà parvenue aux oreilles de Phuong. Je ne serais plus reporter. Il me faudrait désormais avoir des opinions et, en échange de ce privilège vide, j'étais privé de mon dernier espoir dans le tournoi qui m'opposait à Pyle. J'avais mon expérience pour lutter contre sa virginité ; l'âge est, dans le jeu sexuel, une carte aussi bonne que la jeunesse, mais désormais je n'avais même plus à offrir un court avenir de douze mois ; or, l'atout était l'avenir. J'enviais l'officier le plus tourmenté par le regret de son foyer et condamné à risquer sa vie. J'aurais voulu pleurer, mais mes conduits lacrymaux étaient aussi secs que le robinet d'eau chaude. Oh ! qu'on le leur rende, leur foyer !... Moi, je n'avais d'autre désir que ma chambre de la rue Catinat.

Il faisait froid, la nuit venue, à Hanoï, et les lumières étaient plus atténuées qu'à Saigon, mieux adaptées aux vêtements sombres des femmes et à la réalité de la guerre. Je remontai la rue Gambetta jusqu'au Pax-Bar. Je ne voulais pas boire au Métropole avec les officiers supérieurs français, leurs femmes et leurs petites amies, et quand j'arrivai au bar j'entendis le roulement lointain des canons dans la direction de Hoa Binh. Pendant la journée leur bruit était noyé dans celui de la circulation, mais à cette heure-là tout était silencieux, à l'exception des timbres de bicyclettes qui tintaient à l'endroit où les conducteurs de pousse stationnaient en attendant les clients. Pietri était assis à sa place habituelle. Il avait un étrange crâne allongé posé sur ses épaules comme une poire sur un plat ; il était officier de la Sûreté et avait épousé la jolie Tonkinoise à qui appartenait le Pax-Bar. En voilà encore un qui n'avait vraiment aucun désir de rentrer chez lui. Il était Corse, mais il préférait Marseille et, à Marseille, il préférait de beaucoup son siège sur le trottoir de la rue Gambetta. Je me demandai s'il savait déjà ce que contenait mon télégramme.

— Quat'-vingt-et-un ? demanda-t-il.

— Pourquoi pas ?

Nous nous mîmes à lancer les dés et il me sembla impossible qu'il pût jamais y avoir une autre vie, loin de la rue Gambetta et de la rue Catinat, loin des vermouth-cassis au goût fade, du cliquetis familier des dés, loin du bruit des canons qui faisait le tour de l'horizon comme l'aiguille d'une horloge.

— Je rentre, dis-je.

— Chez vous ? demanda Pietri en abattant un 421.

— Non. En Angleterre.

Deuxième partie

Chapitre premier

Pyle s'était invité à prendre ce qu'il appelait « un drink », mais je savais très bien qu'en réalité il ne buvait pas. Au bout de quelques semaines, cette rencontre fantastique à Phat Diem semblait à peine croyable : les détails précis de la conversation étaient moins clairs. Ils ressemblaient aux lettres qui manquent sur un tombeau romain, et moi, l'archéologue, je remplissais les vides suivant les partis pris de mon érudition. L'idée me traversa même l'esprit qu'il s'était payé ma tête, et que la conversation avait été un déguisement compliqué et humoristique destiné à cacher son véritable dessein, car les commérages de Saigon prétendaient déjà qu'il appartenait à l'un des services qu'on appelle (si stupidement) secrets. Peut-être fournissait-il des armes américaines à une Troisième Force, la fanfare de l'évêque, tout ce qui restait de ses jeunes recrues apeurées et jamais payées. Je gardais dans ma poche le télégramme qui m'avait attendu à Hanoï. Il était inutile d'avertir Phuong, car cela ne ferait qu'empoisonner par des larmes et des querelles les quelques mois qui nous restaient. Et même, je n'irais demander mon visa de sortie qu'au dernier moment, pour le cas où quelqu'un de sa famille travaillerait au bureau de l'immigration.

— Pyle vient à six heures, lui dis-je.

— Je vais aller voir ma sœur.

— Je crois qu'il serait content de te voir.

— Il ne m'aime pas, il n'aime pas non plus ma famille. Quand tu étais parti, il n'est pas venu une seule fois chez ma sœur, et pourtant elle l'avait invité. Elle était très vexée.

— Tu n'as pas besoin de partir.

— S'il avait voulu me voir, il nous aurait invités au Majestic. Il veut te parler en particulier... pour affaires.

— De quelles affaires s'occupe-t-il ?

— Les gens disent qu'il importe beaucoup de choses.

— Quelles choses ?

— Des drogues, des remèdes...

— C'est pour leurs équipes de soins contre la conjonctivite, dans le Nord.

— Peut-être. La douane ne doit pas les ouvrir. Ce sont des colis diplomatiques. Mais un jour, on a commis une erreur, l'homme a perdu sa place. Le premier secrétaire a menacé d'arrêter toutes les importations.

— Qu'y avait-il dans la caisse ?

— Du plastic.

— Pourquoi ont-ils besoin de plastic ? dis-je d'un air détaché.

Quand Phuong fut sortie, j'écrivis en Angleterre. Un type de chez Reuter regagnait Hongkong quelques jours plus tard, et il pourrait faire partir ma lettre de là. Je savais que ma démarche était vaine, mais je ne voulais pas me reprocher dans la suite de n'avoir pas tout tenté. J'écrivis au directeur du journal que le moment était mal choisi pour changer leur correspondant. Le général de Lattre était mourant à Paris, les Français allaient se retirer complètement de Hoa Binh ; le Nord n'avait jamais été en aussi grand péril. Je n'étais pas fait, leur expliquai-je, pour la tâche de rédacteur des affaires extérieures, j'étais un reporter, je n'avais aucune opinion valable sur quoi que ce soit. À la dernière page, j'invoquais même mes sentiments personnels, bien qu'il fût improbable que la moindre sympathie humaine survécût jamais sous la lumière crue, au milieu des visières vertes et des phrases stéréotypées : « l'intérêt du journal », « la situation exige »...

J'écrivis : « Pour des raisons qui me sont personnelles, je serais très malheureux de quitter le Viet-nam. Je ne crois pas pouvoir faire mon meilleur travail en Angleterre, où je serai en butte à des difficultés non seulement d'ordre financier, mais familial. En fait, si j'en avais les moyens, je démissionnerais plutôt que de rentrer en Angleterre. Je ne parle de ceci, en passant, que pour vous montrer que mes objections sont fortes. Je ne crois pas que vous ayez jamais eu à vous plaindre de moi comme correspondant et c'est la première faveur que je vous demande. »

Je relus ensuite mon article sur la bataille de Phat Diem, afin de le faire expédier aussi, daté de Hongkong. Les Français ne s'en offusqueraient pas sérieusement : le siège avait été levé, une défaite pouvait être déguisée en victoire. Puis, je déchirai la dernière page de ma lettre au directeur. À quoi bon ? Les « raisons personnelles » ne seraient que l'objet de plaisanteries sournoises. Il passait pour avéré que chaque correspondant avait une liaison locale. Le rédacteur de jour raconterait cette histoire bouffonne au rédacteur de nuit qui l'emporterait sous la forme d'une pensée d'envie jusqu'à sa petite villa de banlieue et la glisserait avec lui dans son lit, à côté de l'épouse fidèle qu'il avait ramenée de Glasgow, bien des années auparavant. Je voyais nettement ce genre de maison impitoyable où un tricycle démantibulé se dressait dans l'entrée, et où quelqu'un avait démoli la pipe qu'il préférait ; dans le salon-salle à manger traînait une chemise d'enfant à laquelle il fallait recoudre un bouton. « Raisons personnelles » : quand j'irais boire au club de la presse, je n'aimerais pas que l'image de Phuong me fût rappelée par leurs plaisanteries.

On frappait à la porte. J'ouvris et fis entrer Pyle précédé de son chien noir. Pyle regarda par-dessus mon épaule et vit que la pièce était vide.

— Je suis seul, dis-je, Phuong est chez sa sœur.

Il rougit. Je remarquai qu'il portait une chemise Hawaï, d'une couleur et d'un dessin modérément sobres toutefois. Cela me surprit : aurait-il été accusé d'activités non américaines ?

— J'espère que je ne vous dérange pas... dit-il.

— Pas du tout. Que voulez-vous boire ?

— Merci. De la bière.

— Je regrette. Nous n'avons pas de réfrigérateur. On nous apporte de la glace. Que diriez-vous d'un scotch ?

— Très peu, si vous voulez bien. Je n'aime pas beaucoup les alcools.

— Sec ?

— Beaucoup de soda, si vous n'en manquez pas.

— Je ne vous ai pas vu depuis Phat Diem, dis-je.

— Vous avez reçu ma lettre, Thomas ?

Lorsqu'il employa mon nom de baptême, ce fut comme s'il proclamait qu'il ne s'agissait pas d'une mystification, qu'il n'avait pas déguisé la vérité, qu'il était là pour s'emparer de Phuong. Je remarquai que sa coupe de cheveux était toute fraîche ; la chemise Hawaï elle-même lui servait-elle de plumage de noces ?

— J'ai reçu votre lettre, dis-je. Je devrais sans doute vous répondre à coups de poing.

— Naturellement, vous en avez le droit absolu, Thomas. Seulement, j'ai fait de la boxe à l'Université, et je suis tellement plus jeune que vous !

— Non, ce serait une erreur de ma part, c'est votre avis ?

— Vous savez, Thomas (je suis sûr que vous avez le même sentiment), je n'aime pas parler de Phuong derrière son dos. Je croyais qu'elle serait ici.

— Bon. Alors de quoi allons-nous parler ? De plastic ? Je n'avais pas préparé cette surprise.

— Vous savez cela ? dit-il.

— Phuong me l'a raconté.

— Comment a-t-elle pu ?

— Vous pouvez être certain que toute la ville en parle. Qu'y a-t-il de si important ? Allez-vous vous lancer dans la fabrication des jouets ?

— Nous n'aimons pas que les détails de nos œuvres de secours se répandent. Vous savez ce que sont les membres du Congrès... et il y a en plus les sénateurs en tournée. Nous avons eu des ennuis sans fin dans notre « lutte contre la conjonctivite » parce que nous employions un remède plutôt qu'un autre.

— Je ne comprends toujours pas le besoin de plastic.

Son chien noir, haletant, assis sur le plancher, prenait trop de place, et sa langue pendante ressemblait à une crêpe brûlée. Pyle me répondit d'un air vague :

— Oh ! vous savez, nous voudrions remettre sur pied quelques-unes de leurs industries locales, et nous devons prendre toutes sortes de précautions à cause des Français. Ils exigent que tout soit acheté en France.

— Je les comprends. On a besoin d'argent pour faire la guerre.

— Aimez-vous les chiens ?

— Non.

— Je croyais que tous les Britanniques les adoraient.

— Nous croyons que tous les Américains adorent les dollars, mais il doit y avoir des exceptions.

— Je ne sais ce que je ferais si je n'avais pas Duc. Je me sens tellement seul par moments, si vous saviez...

— Vous avez beaucoup de camarades.

— Le premier chien que j'aie possédé s'appelait Prince. Je l'avais baptisé ainsi à cause du Prince Noir. Vous savez, le type qui...

— A massacré toutes les femmes et tous les enfants à Limoges.

— Je ne me rappelle pas cela.

— Les manuels d'histoire jettent un voile.

J'étais destiné à revoir fréquemment cet air de souffrance déçue passer dans ses yeux et sur sa bouche quand la réalité ne correspondait pas aux idées romanesques qu'il nourrissait, ou quand un être qu'il aimait ou admirait n'atteignait pas l'impossible niveau idéal qu'il lui avait fixé. Je me rappelle qu'une fois je trouvai dans York Harding une erreur grossière de faits : je dus consoler Pyle.

— Il est humain de commettre des erreurs.

Il avait ri nerveusement et répliqué :

— Vous me prenez sûrement pour un idiot, mais... eh bien ! je le croyais presque infaillible. Mon père, ajouta-t-il, a été très séduit par lui la seule fois qu'ils se sont rencontrés, et mon père est rudement difficile à contenter.

Le gros chien noir appelé Duc, ayant haleté assez longtemps pour s'attribuer une sorte de monopole de l'air respirable, se mit à s'agiter dans la pièce.

— Pourriez-vous prier votre chien de rester tranquille ? demandai-je.

— Oh ! je vous demande pardon. Duc, Duc ! couché, Duc.

Duc s'assit et se lécha bruyamment les parties sexuelles. Je me levai pour remplir les verres et réussis en passant à déranger sa toilette intime. Notre paix fut de courte durée : il se mit bientôt à se gratter.

— Duc est d'une intelligence étonnante.

— Qu'est-il arrivé à Prince ?

— Nous étions dans notre ferme du Connecticut quand il s'est fait écraser.

— Avez-vous été très ému ?

— Oh ! ça m'a fait un grand chagrin. Il tenait beaucoup de place dans ma vie, mais il faut être raisonnable. Rien ne pouvait le rappeler à la vie.

— Et si vous perdez Phuong, serez-vous raisonnable ?

— Oh ! oui, j'espère. Et vous ?

— J'en doute. Je pourrais même être pris de folie furieuse. Avez-vous pensé à cela, Pyle ?

— Je voudrais que vous m'appeliez Alden, Thomas.

— J'aime mieux pas. Pyle... est plein d'associations d'idées. Dites, y avez-vous pensé ?

— Mais non, naturellement. Vous êtes le type le plus régulier que j'aie jamais connu. Quand je me rappelle la façon dont vous m'avez accueilli cette nuit où j'ai foncé sur vous...

— Je me rappelle avoir pensé, avant de m'endormir, que s'il y avait une attaque, cela arrangerait bien les choses que vous soyez tué. Mort au champ d'honneur. Pour la démocratie.

— Ne vous moquez pas de moi, Thomas. (Il changea de place ses longues jambes comme s'il était mal à l'aise.) Je dois vous paraître un peu jobard, mais quand vous me faites marcher je m'en aperçois.

— Je ne vous fais pas marcher.

— Je sais bien que dans votre for intérieur vous désirez agir au mieux des intérêts de Phuong.

C'est alors que j'entendis le pas de Phuong. J'avais espéré contre toute espérance qu'il serait parti avant son retour. Il l'entendit, et lui aussi reconnut son pas, bien qu'il n'eût eu qu'un soir pour apprendre à le connaître.

— La voici, dit-il.

Le chien lui-même se leva et alla se tenir près de la porte que j'avais laissée ouverte pour avoir un peu de fraîcheur, presque comme s'il avait décidé que Phuong faisait partie de la famille de Pyle. C'était moi l'intrus.

— Ma sœur n'était pas chez elle, dit Phuong, qui regarda Pyle avec circonspection.

Je me demandai si elle disait la vérité ou si sa sœur lui avait ordonné de revenir en toute hâte.

— Tu te rappelles M. Pyle, dis-je.

— *Enchantée.*

Elle montrait qu'elle connaissait les bonnes manières.

— Je suis content de vous revoir, dit-il en rougissant.

— *Comment ?*

— Elle sait très peu d'anglais, expliquai-je.

— Je crains que mon français ne soit exécrable. Mais je prends des leçons. Et je le comprends... si miss Phuong voulait bien parler lentement.

— Je vais vous servir d'interprète, dis-je. Il faut quelque temps pour s'habituer à l'accent local. Alors, que voulez-vous lui dire ? Assieds-toi, Phuong. M. Pyle est venu spécialement pour te voir. Vous n'aimeriez pas mieux, demandai-je à Pyle, que je vous laisse seuls tous les deux ? En êtes-vous sûr ?

— Je veux que vous entendiez tout ce que j'ai à dire. Autrement, ce ne serait pas loyal.

— Bon. Allez-y.

Il dit solennellement, comme s'il avait appris par cœur cette partie de son discours, qu'il avait pour Phuong un grand amour et beaucoup de respect. Ce sentiment datait du soir où il avait dansé avec elle. Cela évoquait un peu pour moi ces visites de « manoirs » où le maître d'hôtel guide un groupe de touristes. Le « manoir » était le cœur de Pyle et nous n'avions droit qu'à un coup d'œil rapide et furtif sur les appartements privés habités par la famille. Je traduisais ses paroles avec un soin méticuleux... ce qui les faisait paraître pires, et Phuong écoutait, immobile, les mains posées sur ses genoux, comme au cinéma.

— A-t-elle compris cela ? demanda-t-il.

— Autant que je puisse en juger. Vous ne voulez pas que j'ajoute un peu de flamme ?

— Oh ! non, dit-il, contentez-vous de traduire. Je ne veux pas l'influencer en agissant sur ses émotions.

— Je vois.

— Dites-lui que je veux l'épouser.

Je le lui dis.

— Qu'a-t-elle répondu ?

— Elle a demandé si vous parliez sérieusement. Je lui ai dit que vous étiez quelqu'un du genre sérieux.

— Je suppose que c'est une situation bizarre, dit-il. Que moi, je vous demande de traduire.

— Assez bizarre.

— Et pourtant cela semble si naturel. Après tout, vous êtes mon meilleur ami.

— Très aimable à vous de le dire.

— Si j'avais des ennuis, je ne vois personne à qui je m'adresserais de préférence à vous.

— Et je suppose que d'être amoureux de mon amie, c'est une sorte d'ennui ?

— Bien entendu. Je suis désolé que ce soit à vous que ça arrive, Thomas.

— Bon. Que dois-je dire maintenant ? Que vous ne pouvez pas vivre sans elle ?

— Non, pas d'appel aux émotions. D'ailleurs ce n'est pas tout à fait vrai. Je serais forcé de partir, naturellement, mais l'on se console de tout.

— Pendant que vous réfléchissez à ce que vous allez dire ensuite, ça ne vous fait rien que je plaide un peu ma propre cause ?

— Non, bien sûr que non. Ce n'est que juste, Thomas.

— Eh bien ! Phuong, dis-je, vas-tu me quitter pour le suivre ? Il t'épousera. Moi, je ne peux pas. Tu sais pourquoi.

— Est-ce que tu vas partir ? demanda-t-elle.

Et je pensai à la lettre de mon journal, qui était dans ma poche.

— Non.

— Jamais ?

— Comment faire une telle promesse ? Il ne peut pas non plus. Les mariages se brisent. Ils se brisent souvent plus vite qu'une liaison comme la nôtre.

— Je ne veux pas m'en aller, dit-elle.

Mais cette phrase ne m'apportait pas de réconfort : elle contenait un « mais » inexprimé.

— Je pense, dit Pyle, qu'il faut que j'abatte toutes mes cartes. Je ne suis pas riche. Mais quand mon père mourra, j'aurai environ cinquante mille dollars. Je suis en bonne santé. J'ai un certificat médical récent de deux mois et je peux lui donner le numéro de mon groupe sanguin.

— Je ne sais pas traduire ça. À quoi cela sert-il ?

— Eh bien ! à être sûr que nous pouvons avoir des enfants ensemble.

— Est-ce ainsi que vous faites la cour aux femmes en Amérique ? Le chiffre de vos revenus et un certificat de groupe sanguin ?

— Je ne sais pas. C'est la première fois que cela m'arrive. Sans doute que chez nous ma mère aurait parlé à sa mère.

— Au sujet de votre groupe sanguin ?

— Ne vous moquez pas de moi, Thomas. J'ai sûrement des idées de l'ancien temps. Vous savez, je suis un peu perdu dans cette situation.

— Moi aussi. Ne croyez-vous pas que nous pourrions renoncer à tout cela et la jouer aux dés ?

— Ne faites pas semblant d'être un dur de dur, Thomas. Je sais que vous l'aimez, à votre façon, autant que je l'aime.

— Bien sûr. Alors, continuez, Pyle.

— Dites-lui que je n'ai pas l'espoir qu'elle va m'aimer, tout de suite. Cela viendra avec le temps, mais dites-lui que ce que je lui offre c'est la sécurité et le respect. Cela ne paraît pas d'un intérêt palpitant, mais peut-être est-ce plus solide que la passion.

— Elle pourra toujours trouver de la passion, dis-je, auprès de votre chauffeur pendant que vous serez au bureau.

Pyle rougit. Il se leva, gauchement.

— Ceci est déplacé, et grossier, dit-il. Je défends qu'on l'insulte. Vous n'avez pas le droit...

— Elle n'est pas encore votre femme.

— Qu'avez-vous à lui offrir ? poursuivit-il dans sa fureur. Deux cents dollars quand vous partirez pour l'Angleterre à moins que vous ne lui laissiez le mobilier ?

— Le mobilier ne m'appartient pas.

— Elle non plus. Phuong, voulez-vous m'épouser ?

— Eh bien ! et le groupe sanguin ? demandai-je. Et le certificat prénuptial ? Vous avez besoin du sien, sans aucun doute. Peut-être vous faudra-t-il aussi son bulletin de santé. Et son horoscope. Ah ! non, ça, c'est une coutume indienne.

— Voulez-vous m'épouser ?

— Dites-le en français, conseillai-je. Du diable si je continue à vous servir d'interprète !

Je me levai et le chien gronda, ce qui me mit hors de moi.

— Dites à votre brute de clebs qu'il se tienne tranquille. Je suis chez moi, il n'est pas chez lui.

— Voulez-vous m'épouser ? répéta Pyle.

Je fis un pas vers Phuong et Duc se remit à gronder.

— Dis-lui qu'il s'en aille, dis-je à Phuong, et qu'il emmène son chien.

— Venez avec moi tout de suite, dit Pyle. *Avec moi.*

— *No*, répondit Phuong, *no*.

Brusquement toute notre colère tomba, la sienne comme la mienne : le problème n'était pas plus compliqué que cela. On pouvait le résoudre à l'aide d'un mot de deux lettres. Je ressentais un immense soulagement ; Pyle restait là, debout, bouche bée, l'air interdit.

— Elle a dit non, dit-il.

— Sa connaissance de l'anglais va jusque-là.

J'avais envie de rire maintenant : comme nous avions fait les idiots, Pyle et moi !

— Asseyez-vous, dis-je, et prenez un autre verre de whisky, Pyle.

— Je crois qu'il faut que je parte.

— Le coup de l'étrier.

— Il ne faut pas que je boive tout votre whisky, murmura-t-il.

— Je m'en procure autant que j'en veux par la légation.

Je fis un pas vers la porte et le chien montra les dents.

— Couché, Duc. Sois sage, cria Pyle, l'air furibond, en essuyant son front couvert de sueur. Je suis absolument désolé, Thomas, d'avoir dit des choses que je n'aurais pas dû dire. Je ne sais pas ce qui m'a pris.

Il ôta ses lunettes et ajouta, triste et pensif :

— La victoire est à celui qui la mérite. Seulement, je vous en prie, Thomas, ne l'abandonnez pas.

— Je ne l'abandonnerai pas, cela va de soi, dis-je.

— Aimerait-il fumer une pipe ? demanda Phuong.

— Aimeriez-vous fumer une pipe ?

— Non, merci. Je ne touche jamais à l'opium et le règlement de notre service est très strict à ce sujet. Je vide mon verre et je me retire. Excusez-moi pour Duc. En général, il se tient très tranquille.

— Soupez avec nous.

— Je crois, si cela ne vous fait rien, que je préfère être seul, dit-il avec un sourire mal assuré. Je suppose que n'importe qui dirait que nous nous sommes conduits d'étrange façon, tous les deux. Je voudrais que vous puissiez l'épouser, Thomas.

— Vraiment ?

— Oui. Depuis que j'ai vu cet endroit... vous savez, cette maison à côté du Chalet, j'ai tellement peur.

Il avala rapidement le whisky auquel il n'était pas habitué, sans regarder Phuong, et lorsqu'il prit congé, au lieu de lui toucher la main, il lui fit un petit salut raide et maladroit. Je remarquai qu'elle le suivait des yeux jusqu'à la porte, et en passant devant la glace, j'aperçus mon image : le bouton d'en haut défait, à mon pantalon, un début de bedaine.

Sur le palier, Pyle dit encore :

— Je vous promets de ne pas la voir, Thomas. Vous ne permettrez pas que ceci nous sépare, n'est-ce pas ? Je me ferai muter quand j'aurai terminé ma période.

— Quand ?

— Dans deux ans à peu près.

Je rentrai dans la chambre en pensant : « À quoi bon ? » J'aurais pu aussi bien leur dire que je partais. Il n'allait porter son cœur saignant en guise de décoration que pendant quelques semaines... Mon mensonge lui allégerait même la conscience.

— Veux-tu que je te prépare une pipe ? demanda Phuong.

— Oui, dans un moment. Rien que le temps d'écrire une lettre.

C'était la seconde lettre de la journée, mais je n'en déchirai rien, bien que j'eusse aussi peu d'espoir d'une réponse satisfaisante que pour la première. J'écrivis :

Chère Hélène,

Je rentre en Angleterre au mois d'avril prochain pour exercer au journal les fonctions de rédacteur aux affaires étrangères. Vous pouvez imaginer que je n'en suis pas très heureux. L'Angleterre est pour moi la scène de mon échec. J'avais souhaité que notre mariage durât autant que si j'avais partagé vos convictions chrétiennes. Aujourd'hui encore, je ne suis pas très sûr de savoir ce qui n'a pas marché (je sais que nous avons fait des efforts tous les deux), mais je crois que mon caractère en est la cause. Je sais que mon caractère peut être cruel et mauvais. Il est devenu, je crois, un peu meilleur : l'Orient a agi sur moi, je ne suis pas plus doux, mais plus calme. Peut-être est-ce simplement parce que j'ai cinq ans de plus, à une époque de la vie où cinq années représentent une importante portion de ce qui vous reste. Vous avez été très généreuse envers moi et vous ne m'avez pas fait un seul reproche depuis notre séparation. Voulez-vous être encore plus généreuse ? Je sais qu'avant notre mariage, vous m'avez averti que tout divorce était impossible. J'ai accepté ce risque et je n'ai aucun grief à formuler. Néanmoins, je vous demande aujourd'hui de divorcer.

Du lit, Phuong m'appela, pour me dire que le plateau était prêt.

— Un moment.

Je continuai ma lettre :

Je pourrais jeter sur tout ceci un voile qui ferait paraître mon attitude plus digne et plus honorable, en prétendant que j'agis dans l'intérêt de quelqu'un d'autre. Mais ce serait faux et nous avions l'habitude de nous dire la vérité : c'est pour moi et rien que pour moi. J'aime une femme très profondément, il y a plus de deux ans que nous vivons ensemble, elle a toujours été d'une loyauté parfaite envers moi, mais je sais maintenant que je ne lui suis pas indispensable. Si je la quitte, elle sera, je crois, un peu malheureuse, mais ce ne sera pas tragique. Elle épousera un autre homme et elle aura des enfants. Je suis idiot de vous dire cela : c'est vous fournir une réponse toute faite. Mais parce que j'ai toujours été sincère, peut-être me croirez-vous si je vous dis que la perdre sera pour moi le commencement de la mort. Je ne vous demande pas d'être « raisonnable » (la raison est entièrement de votre côté) ou d'être compatissante. C'est un mot trop fort pour ma situation et d'ailleurs je ne mérite pas de compassion particulière. Je suppose qu'en réalité ce que je vous demande, c'est de vous conduire subitement de façon déraisonnable, à contresens. Je voudrais que, poussée par... (j'ai hésité avant d'écrire le mot et je n'ai pas trouvé celui qu'il fallait) l'affection, vous agissiez avant d'avoir le temps de réfléchir. Certes, il est plus facile de faire cela par téléphone que d'un bout à l'autre de douze mille kilomètres. Si vous vouliez simplement me câbler : « J'accepte ! »

Quand j'eus terminé, j'avais la sensation d'avoir couru très longtemps et d'avoir surmené des muscles mal entraînés. Je m'étendis sur le lit tandis que Phuong me préparait une pipe.

— Il est jeune, dis-je.

— Qui ?

— Pyle.

— Cela n'a pas tellement d'importance.

— Je t'épouserais si je le pouvais, Phuong.

— Je le sais, mais ma sœur ne le croit pas.

— Je viens d'écrire à ma femme et je lui ai demandé de m'accorder le divorce. Je n'avais pas encore essayé. C'est toujours une chance à courir.

— Une grande chance ?

— Non, mais une petite.

— Ne t'inquiète pas. Fume.

J'aspirai la fumée et elle commença à me préparer une seconde pipe.

— Ta sœur, elle était vraiment sortie tout à l'heure ? lui redemandai-je.

— Je te l'ai dit. Elle n'était pas à la maison.

C'était absurde de la soumettre à cette passion de la vérité qui est occidentale, autant que la passion de l'alcool. À cause du whisky que j'avais bu avec Pyle, l'effet de l'opium était atténué.

— Je t'ai menti, Phuong, dis-je. J'ai reçu l'ordre de rentrer en Angleterre.

Elle posa la pipe.

— Mais tu ne vas pas partir ?

— Si je refuse, de quoi vivrons-nous ?

— Je pourrais partir avec toi. J'aimerais voir Londres.

— Ce serait très désagréable pour toi si nous n'étions pas mariés.

— Mais peut-être que ta femme va divorcer.

— Peut-être.

— Je t'accompagnerai en tout cas, dit-elle.

Elle le pensait, mais tandis qu'elle reprenait la pipe et commençait à chauffer la boulette d'opium, je voyais naître dans ses yeux toute une suite de pensées.

— Y a-t-il des gratte-ciel à Londres ? demanda-t-elle.

Et l'innocence de la question m'emplit d'amour pour elle. Elle était capable de mentir par politesse, par crainte, et même par intérêt, mais elle n'aurait jamais assez d'astuce pour dissimuler son mensonge.

— Non, dis-je, il faut aller en Amérique pour en voir.

Elle me lança un rapide coup d'œil par-dessus l'aiguille et accusa son erreur. Puis, tout en malaxant l'opium, elle se mit à parler, au hasard, des vêtements qu'elle porterait à Londres, de l'endroit que nous habiterions, du chemin de fer souterrain et des autobus à impériale dont elle avait lu la description dans un roman ; irions-nous par avion ou sur la mer ?

— Et la statue de la Liberté... dit-elle.

— Non, Phuong, cela aussi est en Amérique.

Chapitre 2

1

Au moins une fois l'an, les caodaïstes donnent une grande fête à Tanyin, leur Saint-Siège, qui se trouve à quatre-vingts kilomètres au nord-ouest de Saigon, pour célébrer telle ou telle année de libération ou de conquête, ou même quelque cérémonie bouddhiste, confucéenne ou chrétienne. Le caodaïsme était toujours le chapitre favori de mes « topos » aux visiteurs. Le caodaïsme, invention d'un fonctionnaire cochinchinois, est une synthèse des trois religions. Le Saint-Siège est à Tanyin. Un pape et des femmes cardinaux. Prophéties par l'intermédiaire de la corbeille à bec. Saint Victor Hugo. Le Christ et Bouddha contemplant du plafond de la cathédrale une fantasia orientale à la Walt Disney, dragons et serpents en technicolor. Les nouveaux arrivés étaient toujours ravis de cette description. Comment expliquer la morne tristesse de tout cela : l'armée privée composée de vingt-cinq mille hommes armés de mortiers faits dans les tuyaux d'échappement de vieilles automobiles, ces alliés des Français qui se déclarèrent neutres au moment du danger ? À ces cérémonies, qui contribuaient à maintenir le calme chez les paysans, le pape invitait les membres du gouvernement (qui se rendaient à l'invitation si les caodaïstes étaient au pouvoir à ce moment-là), le corps diplomatique (qui envoyait quelques secrétaires de légation avec leurs femmes ou leurs filles) et le commandant en chef français qui détachait d'un poste bureaucratique un général à deux étoiles pour le représenter.

Le long de la route de Tanyin s'écoulait un flot rapide d'automobiles d'état-major et de CD, et sur les tronçons les plus exposés la Légion étrangère avait déployé des troupes de couverture dans la rizière. C'était toujours une journée d'inquiétude pour le haut commandement français et peut-être d'espoir pour les caodaïstes, car pourrait-il y avoir une meilleure preuve indolore de leur loyalisme qu'une attaque où quelques visiteurs importants seraient tués aux confins de leur territoire ?

Tous les kilomètres, une petite tour de guet en pisé se dressait comme un point d'exclamation au-dessus des champs plats, et tous les dix kilomètres, il y avait un fort plus important, occupé par une section de légionnaires, de Marocains ou de Sénégalais. Comme à l'entrée de New York, les voitures avançaient toutes à la même allure, et de même aussi qu'à l'entrée de New York, on avait une sensation d'impatience réprimée tandis que chacun suivait de l'œil la voiture qui était devant et, dans le rétroviseur, guettait celle qui venait derrière. Tout le monde désirait arriver à Tanyin, voir le spectacle, et revenir aussitôt que possible : le couvre-feu était à sept heures.

On sortait des rizières de la zone française pour entrer dans les rizières des Hoa Haos, et de là dans celles des caodaïstes qui étaient généralement en guerre avec les Hoa Haos : la seule chose qui changeait était le drapeau hissé sur les tours de guet. Des petits garçons nus étaient juchés sur le dos de buffles pataugeant jusqu'aux parties génitales dans les champs irrigués ; là où la moisson d'or était à point, les paysans coiffés de leurs chapeaux en forme d'arapède vannaient le riz, appuyés contre de petits abris ronds en bambou tressé. Les automobiles qui filaient près d'eux si vite appartenaient à un autre monde.

Ensuite, c'étaient les églises caodaïstes qui attiraient, dans tous les villages, l'attention des étrangers : constructions de plâtre bleu pâle, ou rose pâle, avec le grand œil de Dieu au-dessus de la porte. Les drapeaux se multipliaient ; des troupes de paysans cheminaient sur la route, nous approchions du Saint-Siège. Au loin, semblable à un chapeau melon vert, la montagne sacrée dominait Tanyin : c'était là que s'était retranché le général Thé, ce chef d'état-major dissident qui venait de proclamer son intention de combattre à la fois les Français et les Vietminhs. Les caodaïstes ne faisaient aucun effort pour s'emparer de lui, bien qu'il eût enlevé de vive force un cardinal ; mais le bruit courait qu'il l'avait fait de connivence avec leur pape.

On avait toujours l'impression qu'il faisait plus chaud à Tanyin que partout ailleurs dans le Delta sud ; peut-être était-ce le manque d'eau, peut-être était-ce l'effet des cérémonies interminables qui vous faisaient transpirer par délégation : transpirer pour les soldats debout au port d'armes qui écoutaient de longs discours dans une langue qu'ils ne comprenaient pas, transpirer pour le pape vêtu de lourdes robes de Chinois d'opérette. Seules les femmes cardinaux en pantalon de soie blanche, bavardant avec les prêtres coiffés de casques coloniaux, donnaient une impression de fraîcheur sous le soleil fulgurant. On ne pouvait croire qu'il serait jamais sept heures du soir, l'heure du cocktail sur le toit du Majestic, dans la brise qui montait de la rivière de Saigon.

Après la revue, j'interviewai le représentant du pape. Je ne m'attendais pas à tirer grand-chose de lui et je ne me trompais pas : il y avait là une double convention. Je l'interrogeai sur le général Thé.

— C'est un homme à coups de tête, dit-il.

Et il changea vivement de sujet.

Il se lança dans son discours de commande, oubliant que je l'avais déjà entendu deux ans auparavant ; cela me rappelait mes propres disques à l'usage des nouveaux arrivés : le caodaïsme était une synthèse religieuse... la meilleure de toutes les religions... des missionnaires étaient allés jusqu'à Los Angeles... les secrets de la Grande Pyramide. Il portait une longue soutane blanche et il fumait cigarette sur cigarette. Il y avait en lui quelque chose de rusé et de corrompu ; le mot « amour » apparaissait souvent dans ses tirades. J'étais persuadé qu'il savait que nous étions tous là pour faire des gorges chaudes de son mouvement : notre air de respect était aussi corrompu que sa hiérarchie en toc, mais nous avions moins de ruse. Notre hypocrisie ne nous rapportait rien, même pas un allié sûr, tandis que grâce à la leur ils s'étaient procuré des armes, des approvisionnements et même de l'argent comptant.

— Merci, Éminence.

Je me levai pour partir. Il m'accompagna jusqu'à la porte, en répandant autour de lui des cendres de cigarettes.

— La bénédiction de Dieu soit sur votre travail, dit-il avec onction. Rappelez-vous que Dieu aime la vérité.

— Quelle vérité ? demandai-je.

— Dans la foi caodaïste, toutes les vérités sont réconciliées et vérité est amour.

Il portait à son doigt une énorme bague et, lorsqu'il me tendit la main, je crois vraiment qu'il s'attendait à ce que j'y pose les lèvres, mais je ne suis pas un diplomate.

Dans le morne soleil vertical, j'aperçus Pyle : il essayait en vain de mettre sa Buick en marche. De quelque manière, au cours des deux dernières semaines, au bar du Continental, dans la seule bonne librairie, dans la rue Catinat, j'avais continuellement rencontré Pyle. Cette amitié qu'il m'avait imposée dès le début, il insistait pour me la faire sentir plus que jamais. Ses yeux tristes imploraient silencieusement des nouvelles de Phuong, tandis que ses lèvres exprimaient avec une ferveur sans cesse croissante la force de son affection et de son admiration – Dieu me pardonne ! – pour moi.

Un commandant caodaïste se tenait près de la voiture et parlait avec volubilité. Il se tut quand je m'approchai. Je le reconnus : il avait été un des collaborateurs de Thé avant que Thé eût pris le maquis.

— Bonjour, commandant, dis-je, comment va le général ?

— Quel général ? demanda-t-il avec un sourire timide et grimaçant.

— Voyons, est-ce que dans la foi caodaïste tous les généraux ne sont pas réconciliés ?

— Je n'arrive pas à faire partir ce moteur, Thomas, dit Pyle.

— Je vais chercher un mécanicien, dit le commandant en nous quittant.

— Je vous ai interrompus.

— Oh ! ça n'a pas d'importance, dit Pyle. Il voulait savoir combien coûte une Buick. Ces gens sont tout prêts à vous montrer de l'amitié quand ils sont bien traités. J'ai l'impression que les Français ne savent pas les prendre.

— Les Français n'ont pas confiance en eux.

— Un homme devient digne de confiance, dit solennellement Pyle, quand on a confiance en lui.

On aurait dit qu'il émettait une maxime caodaïste. Je commençais à trouver que l'air de Tanyin contenait trop de morale pour convenir à mes poumons.

— Voulez-vous boire ? demanda Pyle.

— Rien ne me plairait davantage.

— J'ai apporté un thermos de jus de lime.

Il se pencha et se mit à fouiller dans un panier attaché derrière sa voiture.

— Gin ?

— Non, je regrette beaucoup. Vous savez, dit-il d'un air engageant, c'est très bon pour vous de boire du *lime-juice* dans ce climat. C'est plein de... je ne sais plus quelles vitamines.

Il m'en tendit une tasse que je vidai.

— Enfin, c'est du liquide, dis-je.

— Voulez-vous un sandwich ? Ils sont vraiment très bons. C'est une pâte à sandwich tout à fait nouvelle qui s'appelle Vitam-Santé. Ma mère m'en envoie des États-Unis.

— Non, merci, je n'ai pas faim.

— Ça a un peu le même goût que la salade russe, en plus sec.

— Non, je vous assure.

— Ça ne vous dérange pas que je mange ?

— Bien sûr que non, naturellement.

Il en mordit une grosse bouchée et se mit à mastiquer en jouant des mâchoires. Au loin, le bouddha de pierre blanche et rose s'éloignait de sa demeure ancestrale et son valet – une autre statue – le poursuivait en courant. Les femmes cardinaux regagnaient sans hâte leurs maisons et l'œil de Dieu nous surveillait du haut de la porte de la cathédrale.

— Vous savez qu'on sert un repas ici, dis-je.

— Je n'ai pas voulu m'y risquer. La viande... il faut être très prudent par cette chaleur.

— Vous ne risquez absolument rien. Ils sont végétariens.

— Oh ! c'est sûrement très bon... mais j'aime mieux savoir ce que je mange. (Il fit une nouvelle brèche dans son Vitam-Santé.) Croyez-vous qu'ils aient un mécanicien capable de réparer ?

— Ils en savent assez pour transformer votre tuyau d'échappement en mortier. Je crois que ce sont les Buick qui fournissent les meilleurs mortiers.

Le commandant revint et, faisant le salut militaire d'un geste vif, nous annonça qu'il avait envoyé chercher un mécanicien à la caserne. Pyle lui offrit un sandwich de Vitam-Santé qu'il refusa poliment. Il prit un air d'homme du monde pour dire :

— Nous avons ici toute une liste de règlements en ce qui concerne la nourriture. (Il parlait un anglais excellent.) C'est absurde. Mais vous savez comment cela se passe dans une capitale religieuse. Je suppose qu'il en est de même à Rome... ou à Canterbury, ajouta-t-il, en m'adressant un petit salut primesautier.

Puis il se tut. Ils se turent tous les deux. J'avais nettement l'impression qu'ils auraient bien voulu me voir partir. Je ne pouvais résister à la tentation de taquiner Pyle : après tout, c'est l'arme des faibles et j'étais faible. Il me manquait la jeunesse, le sérieux, l'intégrité, un avenir.

— Peut-être vous demanderai-je tout de même un sandwich.

— Oh ! bien sûr, dit Pyle, bien sûr.

Il hésita, avant de plonger dans la malle arrière.

— Non, non, dis-je, je plaisantais, sans plus. Vous voulez que je vous laisse seuls, tous les deux.

— Certainement pas, dit Pyle.

C'était un des menteurs les plus maladroits que j'eusse jamais rencontrés, il n'avait visiblement jamais pratiqué cet art. Il expliqua au commandant :

— Je n'ai pas de meilleur ami que Thomas.

— Je connais Mr Fowler, dit le commandant.

— Je vous verrai avant de partir, Pyle, dis-je en regagnant la cathédrale où je trouverais sûrement un peu de fraîcheur.

Saint Victor Hugo en habit d'académicien, une auréole entourant son bicorne, montrait du doigt Sun Yat-sen occupé à fixer sur une tablette quelque noble sentiment ; je pénétrai dans la nef. Il n'y avait pas un seul siège en dehors du trône papal autour duquel était lové un cobra de plâtre ; le sol de marbre miroitait comme de l'eau et il n'y avait pas de vitres aux fenêtres – nous enfermons l'air dans une cage percée d'ouvertures, pensai-je, et l'homme enferme sa religion dans une cage à peu près semblable... avec des doutes qui laissent entrer le beau et le mauvais temps, et des croyances qui s'ouvrent sur d'innombrables interprétations. Ma femme avait trouvé sa cage percée d'ouvertures et je l'enviais parfois. Le soleil et l'air sont en conflit : j'ai vécu trop longtemps au soleil.

Je me promenai dans la longue nef vide ; je n'y trouvais pas l'Indochine que j'aime. Des dragons à tête de lion escaladaient la chaire ; au plafond, le Christ exhibait son cœur saignant. Bouddha était accroupi, comme Bouddha est toujours accroupi, le giron vide. La barbe clairsemée de Confucius pendait comme une cascade à la saison sèche. Tout cela était de la comédie : le grand globe au-dessus de l'autel était un symbole d'ambition, la corbeille au couvercle mobile dont le pape se servait pour ses prophéties était du truquage. Si cette cathédrale avait existé depuis cinq siècles au lieu de vingt ans, serait-elle devenue quelque peu convaincante à cause du frottement des pieds sur ses dalles et de ses pierres usées par les intempéries ? Un être disposé à se laisser convaincre, comme l'était ma femme, trouverait-il ici une foi que ne pouvaient lui inspirer les humains ? Et si j'avais vraiment aspiré à la foi, ne l'aurais-je pas trouvée dans l'église anglicane qu'elle fréquentait ? Mais je n'avais jamais désiré la foi. Le travail du reporter consiste à exposer et à narrer. Jamais dans ma carrière je n'avais découvert l'inexplicable. Le pape procédait à ses prophéties au moyen d'un crayon planté dans un couvercle mobile et les gens croyaient. Dans toute vision, il y a un point où l'on peut discerner la planchette. Il n'y avait ni visions ni miracles dans le catalogue de mes souvenirs.

Je retournai ces souvenirs dans ma mémoire, au hasard, comme les images d'un album : un renard qu'à la lueur d'une fusée ennemie à Orpington j'avais vu sortir de son logis de feuilles mortes dans la campagne toute proche pour se glisser le long d'un poulailler ; le corps d'un Malais percé d'une baïonnette, qu'une patrouille gourkha avait ramené à l'arrière d'un camion dans un camp de mineurs du Pahang : les coolies chinois l'entouraient en ricanant nerveusement, tandis qu'un autre Malais glissait un coussin sous la tête du mort ; dans une chambre d'hôtel, sur une cheminée, un pigeon prêt à prendre son vol ; le visage de ma femme à une fenêtre, quand j'étais rentré chez nous pour lui dire adieu, la dernière fois. Mes pensées avaient commencé et se terminaient par elle. Elle devait avoir ma lettre en main depuis plus d'une semaine et le câblogramme que j'attendais n'était pas venu. Mais l'on dit que lorsque la délibération du jury traîne en longueur, il y a de l'espoir pour l'accusé. Si je ne recevais pas de réponse de toute la semaine, pourrais-je commencer à espérer ? Tout autour de moi, j'entendais les voitures des militaires et des diplomates démarrer en ronflant : la fête était finie, jusqu'à l'année prochaine. La débandade en direction de Saigon commençait, l'idée du couvre-feu les faisait se hâter. Je sortis à la recherche de Pyle.

Il était debout dans un coin d'ombre en compagnie du commandant et personne ne s'occupait de sa voiture. Leur conversation paraissait terminée, quel qu'en eût été le sujet, et ils gardaient un silence que leur politesse mutuelle emplissait d'embarras. Je me joignis à eux.

— Eh bien ! dis-je, je crois que je vais partir. Vous devriez vous mettre en route aussi si vous voulez être rentré avant le couvre-feu.

— Le mécanicien n'est pas venu.

— Il va arriver bientôt, dit le commandant, il était dans la procession.

— Vous pourriez passer la nuit ici, dis-je ; on célèbre une messe spéciale que vous trouveriez d'un intérêt passionnant : elle dure trois heures.

— Il faut que je rentre.

— Vous n'y arriverez que si vous partez immédiatement.

Et j'ajoutai, bien contre mon gré :

— Je vous prends à bord, si vous voulez, et le commandant pourra vous faire ramener votre voiture demain à Saigon.

— Ne vous inquiétez pas du couvre-feu tant que vous êtes en territoire caodaïste, dit le commandant d'un air suffisant. Mais plus loin... Certainement, je vous ferai ramener votre voiture demain.

— Avec son tuyau d'échappement intact, dis-je.

Et il me répondit par un sourire gai, rapide, compétent : une abréviation militaire de sourire.

2

À l'heure où nous partîmes le cortège des voitures avait déjà pris une sérieuse avance. J'accélérai pour tenter de le rattraper, mais au moment où nous passâmes de la zone caodaïste dans la zone Hoa Haos, il n'y avait même plus devant nous un nuage de poussière. Le monde s'étendait, plat et vide, dans l'air du soir.

Ce n'est pas le genre de paysage dont on associe l'idée à celle d'une embuscade, mais des hommes peuvent se cacher jusqu'au cou, dans les champs inondés, à quelques mètres de la route.

Pyle toussa pour s'éclaircir la gorge et ce fut le signal des confidences sur le point de s'échanger.

— J'espère que Phuong va bien, dit-il.

— Je ne l'ai jamais vue malade.

Une tour de guet dépassée, une autre surgissait, ainsi que les poids apparaissent sur une balance.

— J'ai rencontré hier sa sœur qui faisait des achats.

— Et je suppose qu'elle vous a invité à aller les voir ?

— Justement, oui, elle m'a invité.

— Elle ne renonce pas facilement à son espoir.

— Son espoir ?

— De vous faire épouser Phuong.

— Elle m'a dit que vous partiez.

— C'est un bruit qui court.

— Vous joueriez franc jeu avec moi, n'est-ce pas, Thomas ? dit Pyle.

— Franc jeu ?

— J'ai demandé à être muté. Je ne voudrais pas qu'elle reste seule, sans vous ni moi.

— Je croyais que vous vouliez terminer votre période. Sans pitié pour lui-même, il répondit :

— J'ai senti que je ne pouvais pas le supporter.

— Quand partez-vous ?

— Je ne sais pas. Ils pensent qu'ils pourront arranger quelque chose dans six mois.

— Vous pouvez supporter six mois ?

— Il faut bien.

— Quelle raison avez-vous donnée ?

— J'ai mis l'attaché économique... vous l'avez rencontré : Joe... plus ou moins au courant des faits.

— Je suppose qu'il trouve dégoûtant de ma part de ne pas vous laisser filer avec ma petite amie ?

— Oh ! non, il a plutôt pris votre parti.

Mon moteur crachotait et avait des ratés ; il avait crachoté pendant quelques minutes, je crois, avant que je m'en aperçoive, car je retournais dans mon esprit l'innocente question de Pyle : « Jouez-vous franc jeu ? » Cela faisait partie d'un monde psychologique d'une grande simplicité, un monde où l'on parle de Démocratie et d'Honneur (avec des majuscules), et où le sens que vous attachez à ces mots est celui que leur donnait votre père.

— Nous sommes à sec, dis-je.

— Essence ?

— Il y en avait plus qu'assez. J'ai fait le plein, archiplein, avant de quitter Saigon. Ces crapules de Tanyin l'ont vidée au siphon. J'aurais dû vérifier. C'est bien d'eux de nous en avoir laissé juste assez pour sortir de leur zone.

— Qu'allons-nous faire ?

— Nous arriverons tout juste à la prochaine tour de guet. Espérons qu'ils en auront un peu.

Mais la déveine nous poursuivit. À vingt-cinq mètres de la tour, la voiture s'arrêta. Nous fîmes à pied le reste du chemin et je criai en français aux gardes que nous étions des amis, que nous allions monter. Je n'avais pas envie qu'une sentinelle vietnamienne me tire dessus. Pas de réponse. Personne ne mit le nez dehors.

— Avez-vous un revolver ? demandai-je à Pyle.

— Je n'en porte jamais.

— Moi non plus.

Les dernières couleurs du couchant, vert et or comme le riz, s'écoulaient goutte à goutte par-dessus le bord de ce monde plat : sur le ciel d'un gris neutre, la tour de guet se détachait en noir comme une estampe. Ce devait être à peu près l'heure du couvre-feu. Je criai de nouveau, personne ne répondit.

— Savez-vous combien de tours de guet nous avons dépassées depuis le dernier fort ?

— Je n'ai pas remarqué.

— Moi non plus.

Nous devions être à six kilomètres au moins du fort suivant – une heure de marche. J'appelai une troisième fois et le silence se répéta comme une réponse.

— On dirait que c'est vide, dis-je. Je crois que je vais monter voir.

Le drapeau jaune à bandes d'un rouge fané qui tournait à l'orange montrait que nous étions sortis du territoire des Hoa Haos pour pénétrer dans celui de l'armée vietnamienne.

— Est-ce que vous ne croyez pas, dit Pyle, que si nous attendions ici, une voiture pourrait passer ?

— Peut-être, mais les autres pourraient arriver avant.

— Si je retournais pour allumer les phares ? Comme signal.

— Bon Dieu, non ! Ne touchez à rien.

Le jour avait baissé au point que je trébuchai en cherchant l'échelle. Quelque chose craqua sous mon pas et j'imaginai le bruit se propageant le long des rizières et recueilli par quelles oreilles ? Pyle avait perdu sa silhouette et n'était plus qu'une tache floue au bord de la route. La nuit, lorsqu'elle tombait, tombait comme une pierre.

— Restez là où vous êtes jusqu'à ce que j'appelle, dis-je.

Je me demandais si le garde avait tiré son échelle derrière lui, mais non, elle était là : certes, un ennemi pouvait s'en servir pour monter, mais c'était aussi leur seul moyen de fuir. Je commençai l'ascension.

J'ai souvent lu qu'aux moments de grande peur, les gens pensent à Dieu, à leur famille, à une femme. J'admire leur sang-froid. Je ne pensais à rien, pas même à la trappe qui s'ouvrait au-dessus de moi. Je cessai, pendant ces quelques secondes, d'exister. J'étais la peur à l'état brut. En haut de l'échelle, je me cognai durement la tête parce que la peur est incapable de compter des échelons, d'entendre ou de voir. Enfin, ma tête dépassa le niveau du plancher de terre et personne ne tira sur moi : la peur exsuda de mon corps et s'évapora.

3

Une petite lampe à huile brûlait sur le plancher et deux hommes tapis contre le mur me guettaient. L'un tenait une Sten, l'autre un fusil ; ils avaient aussi peur que je venais d'avoir peur. On aurait dit deux écoliers, mais chez les Vietnamiens la chute de l'âge est subite, comme celle du soleil : ce sont des enfants, et puis tout à coup ce sont des vieillards. J'étais content que la couleur de ma peau et la forme de mes yeux fussent mes passeports. Ils ne tireraient pas sur moi, même par peur.

Je m'élevai au-dessus du plancher en parlant pour les rassurer, je leur expliquai que ma voiture était dehors, que j'avais une panne d'essence. Peut-être en avaient-ils un peu que je pourrais acheter ? Mais, où ? Quand je regardai autour de moi, la chose me parut peu probable. Il n'y avait rien dans cette petite pièce ronde, à part une caisse de munitions pour la Sten, une petite couchette en bois, et deux paquetages accrochés à un clou. Deux gamelles contenant des restes de riz et des bâtonnets de bois montraient qu'ils avaient dîné sans grand appétit.

— Juste assez pour aller jusqu'au prochain fort, ajoutai-je.

Un des hommes assis contre le mur – celui qui tenait le fusil – secoua la tête.

— Si vous ne pouvez pas, nous serons forcés de passer la nuit ici.

— *C'est défendu.*

— Par qui ?

— Vous êtes un civil.

— Personne ne me forcera à rester dehors sur la route pour me faire couper la gorge.

— Êtes-vous français ?

Un seul homme avait parlé. L'autre, immobile, la tête tournée de côté, surveillait la petite fente pratiquée dans le mur. Il ne pouvait y voir qu'une carte postale de ciel : il avait l'air de tendre l'oreille et je me mis à écouter aussi. Le silence s'emplit de sons : des bruits indéfinissables, craquement, crissement, frôlement, quelque chose qui ressemblait à une toux, puis un murmure. À ce moment-là, j'entendis Pyle : il avait dû parvenir au bas de l'échelle.

— Ça va, Thomas ?

— Montez, lui criai-je.

Il s'engagea sur l'échelle et le soldat silencieux changea son arme de place ; je crois qu'il n'avait pas compris une seule de nos paroles : il avait eu un petit sursaut de malaise. Je me rendis compte qu'il était paralysé par la crainte. D'une voix sèche de sergent-major, je lui ordonnai : « Pose ta mitraillette » en ajoutant en français quelques mots obscènes qu'à mon idée il devait connaître. Il m'obéit automatiquement. Pyle entra dans la pièce.

— On nous offre de partager la sécurité de cette tour jusqu'au matin, dis-je.

— Formidable, dit Pyle. (Il y avait un peu de perplexité dans sa voix.) Est-ce qu'un de ces deux macaques ne devrait pas être en sentinelle ?

— Ils préfèrent ne pas servir de cible. Je regrette que vous n'ayez rien apporté de plus fort que ce jus de lime.

— Je crois que j'y penserai la prochaine fois, dit Pyle.

— Nous avons une longue nuit devant nous.

Maintenant que Pyle était avec moi je n'entendais pas les bruits. Les deux soldats eux-mêmes paraissaient un peu détendus.

— Qu'arrivera-t-il si les Viets les attaquent ? demanda Pyle.

— Ils tireront un coup de feu et se sauveront. On lit ça tous les matins dans l'*Extrême-Orient* : « Au sud-ouest de Saigon, un poste a été temporairement occupé par le Viet-minh la nuit dernière. »

— C'est une perspective déplaisante.

— Il y a quarante tours comme celle-ci entre nous et Saigon. Il nous reste la chance que ce soit le voisin qui trinque.

— Nous trouverions sans peine l'emploi de mes sandwiches, dit Pyle. Je continue à penser qu'un des deux devrait faire le guet.

— Il a peur qu'une balle le guette.

À nous voir, nous aussi, installés sur le plancher, les Vietnamiens perdirent un peu de leur fixité. J'avais de la sympathie pour eux : ce n'est pas une tâche facile pour deux hommes mal entraînés que de rester là, nuit après nuit, en s'attendant toujours à ce que les Viets se glissent jusqu'à la route, à travers les rizières.

— Croyez-vous qu'ils savent qu'ils se battent pour la démocratie ? demandai-je à Pyle. Nous aurions dû apporter York Harding pour le leur expliquer.

— Vous vous moquez toujours de York.

— Je me moque de tous ceux qui passent tant de temps à écrire sur ce qui n'existe pas : sur des conceptions de l'esprit.

— Cela existe pour lui. N'avez-vous aucune conception semblable ? Dieu, par exemple.

— Je n'ai aucune raison de croire en un Dieu. Et vous ?

— Moi, oui. Je suis unitarien.

— En combien de centaines de millions de dieux les gens croient-ils ? Voyons, même un catholique romain suivant qu'il est heureux, qu'il a faim ou peur, croit en un Dieu différent.

— Peut-être que Dieu, s'il existe, est si vaste qu'il apparaît à chacun comme un Dieu différent.

— Comme le grand Bouddha de Bangkok, dis-je. On ne peut pas le voir tout entier d'un seul coup d'œil. Du moins, lui, reste-t-il tranquille.

— Je crois que vous faites seulement semblant d'être un dur, dit Pyle. Je suis sûr que vous croyez à quelque chose. Personne ne peut vivre sans une croyance, quelle qu'elle soit.

— Oh ! je ne suis pas un idéaliste à la Berkeley. Je crois que mon dos s'appuie à ce mur. Je crois qu'il y a là une mitraillette Sten.

— Je ne voulais pas parler de cela.

— Je crois même à ce que je mets dans mes dépêches, et la plupart de vos correspondants ne pourraient pas en dire autant.

— Cigarette ?

— Je ne fume pas... rien que l'opium. Offrez-en aux gardes. Il importe que nous soyons en bons termes avec eux.

Pyle se leva, alluma leurs cigarettes et revint à moi.

— Dommage que les cigarettes n'aient pas le même sens symbolique que le sel, dis-je.

— Vous n'avez pas confiance en eux ?

les autres sont vainqueurs, vos reportages seront
songes.
y a généralement une façon de s'en tirer.
rs, je n'ai jamais eu l'impression dans vos jour-
on plus d'un grand respect de la vérité.
ois que le fait que nous fussions assis là à bavarder
agea les deux soldats : peut-être pensaient-ils que
de nos voix blanches (car les voix ont, elles aussi,
ouleur : les voix jaunes chantent et les voix noires
loutent, tandis que les nôtres parlent, tout simple-
), en produisant un effet de nombre, empêcherait les
d'approcher. Ils ramassèrent leurs gamelles et se
rent à manger, en grattant avec leurs baguettes, sans
quitter des yeux, Pyle et moi, par-dessus le bord du
pient.

— Ainsi vous pensez que nous avons perdu ?

— Là n'est pas la question, répondis-je. Je n'ai aucun
ir particulier de vous voir gagner. J'aimerais que ces
ux pauvres bougres qui sont là soient heureux... c'est
t. Je voudrais qu'ils ne soient pas obligés de passer la
it dans le noir, à trembler de peur.

— Il faut se battre pour la liberté.

— Je n'ai pas vu un seul Américain se battre ici. Et
uant à la liberté, je ne sais pas ce que cela signifie.
Demandez-leur.

Je leur criai en français d'un bout de la pièce à l'autre :

— La liberté... qu'est-ce que c'est, la liberté ?

Ils aspiraient leur riz avec un bruit de succion. Ils nous regardèrent fixement, sans dire un mot.

— Voudriez-vous que tous les gens soient coulés dans le même moule ? demanda Pyle. Vous discutez pour le plaisir de discuter. Vous êtes un intellectuel. Vous croyez à l'importance de l'individu autant que moi-même... ou que York.

— Pourquoi l'avons-nous découverte si récemment ? demandai-je. Il y a quarante ans, personne n'en parlait de cette manière.

— Pas un officier français, dis-je, n'aimerait passer la nuit seul dans une de ces tours avec deux factionnaires affolés par la peur. On a vu des patrouilles livrer leurs officiers. Il arrive que les Viets obtiennent plus de succès en se servant d'un mégaphone que d'un bazooka. Je ne leur en fais pas un reproche. Eux non plus ne croient à rien. Vous et vos semblables, vous essayez de faire une guerre avec l'aide de gens qui ne s'y intéressent pas du tout.

— Ils ne veulent pas du communisme.

— Ils veulent une ration de riz suffisante, dis-je. Ils ne veulent pas recevoir de coups de fusil. Ils veulent que chaque jour soit à peu près semblable aux précédents. Ils ne veulent pas que nos peaux blanches se mêlent de leur apprendre ce qu'ils veulent.

— Si l'Indochine est perdue...

— Je connais le disque : le Siam sera perdu, la Malaisie sera perdue, l'Indonésie sera perdue. Qu'est-ce que cela signifie : perdu ? Si je croyais à votre Dieu et à la vie future, je parierais ma harpe céleste contre votre couronne dorée que dans cinq cents ans New York et Londres n'existeront peut-être plus, mais qu'ici, dans ces champs, ces gens feront pousser le riz, coiffés de leurs chapeaux coniques ; ils porteront leurs produits au marché sur de longs balanciers. Les petits garçons chevaucheront les buffles. J'aime les buffles, ils n'aiment pas notre odeur, l'odeur des Européens. Et n'oubliez pas que, du point de vue du buffle, vous aussi vous êtes un Européen.

— Ils seront forcés de croire ce qu'on leur dira, ils n'auront pas la liberté de penser librement.

— La pensée est un luxe. Croyez-vous que le paysan s'installe pour penser à Dieu et à la Démocratie quand il rentre le soir dans sa hutte de pisé ?

— Vous parlez comme s'il n'y avait que des paysans dans ce pays. Et ceux qui ont été éduqués, seront-ils heureux ?

— Oh ! non, dis-je. Nous les avons élevés suivant nos idées à nous. Nous leur avons enseigné des jeux dangereux, et c'est pourquoi nous sommes ici à attendre, à attendre qu'on nous coupe la gorge. Nous méritons qu'on nous la coupe. Je regrette que votre ami York ne soit pas ici avec nous. Je me demande s'il apprécierait la situation.

— York Harding est un homme très courageux. Tenez, en Corée...

— Il n'était pas soldat, n'est-ce pas ? Il avait un billet de retour. Avec un billet de retour en poche, le courage devient un exercice intellectuel, comme la flagellation pour un moine. Jusqu'à quel point vais-je le supporter ? Ces pauvres diables, eux, ne peuvent pas sauter dans un avion et rentrer chez eux.

« Hi ! leur criai-je, comment vous appelez-vous ? »

Je pensais que connaître leurs noms était une façon de les faire pénétrer dans le cercle de notre conversation. Ils ne me répondirent pas : ils nous regardèrent seulement d'un air menaçant derrière leurs cigarettes presque consumées.

— Ils croient que nous sommes français, dis-je.

— Précisément, dit Pyle. Vous ne devriez pas en vouloir à York, vous devriez en vouloir aux Français et à leur colonialisme.

— Assez d'ismes et de craties. Je veux des faits. Un planteur de caoutchouc bat son ouvrier, bon, je suis contre lui. Il n'a pas reçu pour le faire un ordre de son ministre des Colonies. En France, je suppose qu'il battrait sa femme. J'ai vu un prêtre, si pauvre que le pantalon qu'il porte est le seul qu'il possède, travailler quinze heures par jour, allant de hutte en hutte pendant une épidémie de choléra, ne mangeant que du riz et du poisson salé, disant sa messe dans une vieille tasse, une écuelle de bois. Je ne crois pas en Dieu et pourtant je suis pour ce prêtre. Pourquoi n'appelez-vous pas cela du colonialisme ?

— Mais c'est aussi du colonia
sont souvent les bons administrateu
de réformer un mauvais système.

— Quoi qu'il en soit, des Franç
jours : cela n'est pas une conceptic
mènent pas ces gens en bateau à l'ai
ges, à la manière de vos politiciens...
été aux Indes, Pyle, et je connais le ma
raux. Nous n'avons plus de parti libéra
infecté tous les autres partis. Nous
conservateurs libéraux, soit des socialiste
avons tous la conscience nette. J'aimera
exploiteur qui se bat pour ce qu'il exploite
Voyez ce qui s'est passé en Birmanie. Nou
envahir le pays ; les tribus locales nous
nous avons remporté la victoire ; mais d
vous, Américains, nous nous défendions d'é
nialistes à cette époque. Ah ! mais ! Nous f
avec le roi et nous lui rendîmes la province, e
nant nos alliés qui furent crucifiés ou sciés e
étaient innocents. Ils croyaient que nous alli
Mais nous étions des libéraux, et nous ne vou
avoir une mauvaise conscience.

— C'est une très vieille histoire.

— Nous allons faire la même chose ici. Les enc
et puis les laisser avec quelques machines et des fa
de jouets.

— De jouets ?

— Votre plastic.

— Oh ! oui, je vois.

— Je ne sais pas pourquoi je parle politique. Ç
m'intéresse pas. Je suis reporter. Je ne suis pas *engag*

— Vraiment pas ? demanda Pyle.

— Rien que pour entretenir la conversation, pour f
passer cette saloperie de nuit, c'est tout. Je ne prends
parti. Je continuerai à faire des reportages quel que soi
vainqueur.

— Elle n'était pas menacée à ce moment-là.

— La nôtre n'était pas menacée, oh ! non, mais qui se souciait de l'homme de la rizière en tant qu'individu... et qui s'en soucie maintenant ? Le seul homme qui le traite en homme est le député du district. Il va s'asseoir dans sa paillote, lui demande son nom, écoute ses plaintes ; il consacre une heure par jour à lui enseigner... n'importe quoi : on le traite en homme, en individu d'un certain prix. En Orient, évitez donc de répéter comme un perroquet que l'âme individuelle est menacée. Ici, vous vous trouverez du mauvais côté ; c'est eux qui défendent l'individu et tout ce que nous défendons, nous, c'est le simple soldat, matricule 23 987, unité de la stratégie globale.

— Vous ne pensez pas la moitié de ce que vous dites, déclara Pyle, très gêné.

— Disons les trois quarts. Je suis ici depuis longtemps. Vous savez, c'est une chance que je ne sois pas « engagé », il y a des choses que je pourrais être tenté de faire, car ici, en Orient, eh bien ! je n'aime pas Ike[1]. J'aime... ces deux types-là. Ce pays est leur pays. Quelle heure est-il ? Ma montre est arrêtée.

— Un peu plus de huit heures et demie.

— Encore dix heures et nous pourrons bouger.

— Il va faire très froid, dit Pyle en frissonnant. Je ne m'y serais jamais attendu.

— Nous sommes entourés d'eau. J'ai une couverture dans la voiture. Cela suffira.

— Mais c'est dangereux...

— Il est trop tôt pour les Viets.

— Laissez-moi y aller.

— J'ai plus que vous l'habitude de l'obscurité.

Quand je me levai, les deux soldats s'arrêtèrent de manger. Je les avertis :

— *Je reviens tout de suite.*

---

1. Allusion au slogan électoral du général Eisenhower : *I like Ike.*

Je balançai mes jambes dans l'ouverture de la trappe et, mes pieds ayant trouvé l'échelle, je descendis. C'est étrange comme on se rassure en faisant la conversation, surtout sur des sujets abstraits : il semble que cela normalise les scènes les plus étranges. Je n'avais plus peur : j'avais l'impression de quitter une pièce pour un moment, j'allais y retourner pour reprendre la discussion où je l'avais interrompue : la tour de guet était la rue Catinat, le bar du Majestic ou même une chambre donnant sur Gordon Square.

Je m'arrêtai une minute au pied de la tour pour accommoder ma vision. Les étoiles brillaient, mais la lune était cachée. Le clair de lune me rappelle toujours une morgue et le froid éclat d'une ampoule électrique sans abat-jour luisant sur une plaque de marbre ; mais la lueur des étoiles est vivante et palpite sans cesse ; on pourrait croire que, de ces vastes espaces, quelqu'un s'efforce de nous faire parvenir un message de bonne volonté, car même les noms des étoiles nous sont amis : Vénus est la femme que nous aimons, les Ourses sont les ours de notre enfance, et je suppose que la Croix du Sud pour ceux qui croient, comme ma femme, peut représenter un cantique d'élection ou une prière murmurée au chevet du lit. Je grelottai, pris du même frisson que Pyle. Et pourtant, la nuit était chaude, mais la mince couche d'eau qui stagnait à droite et à gauche étendait sur la chaleur comme une pellicule glacée. Je me mis à marcher vers la voiture, et pendant un instant, debout sur la route, j'eus l'impression qu'elle n'était plus là. Ma confiance en fut ébranlée, même quand je me rappelai qu'elle avait flanché faute d'essence à trente mètres de la tour. Je ne pus m'empêcher de marcher les épaules courbées : il me semblait que j'occupais moins de place en me tenant ainsi.

Je dus ouvrir le coffre arrière fermé à clé pour en sortir la couverture, et dans ce silence le cliquetis et le grincement me firent sursauter. Je ne goûtais guère l'idée d'être la seule source de bruit, au milieu d'une nuit qui devait grouiller de gens. La couverture sur l'épaule, je baissai le couvercle du coffre plus doucement que je ne l'avais levé ; juste au moment où la fermeture fit entendre son déclic, le ciel s'enflamma dans la direction de Saigon et cet éclair fut suivi du grondement d'une explosion qui fit vibrer toute la route. Une Sten cracha à deux reprises et se tut, avant que le grondement se fût apaisé. Je pensai : « Quelqu'un a écopé », et j'entendis des voix très lointaines crier de douleur, de peur ou peut-être même de triomphe. Je ne sais pourquoi j'avais toujours pensé à une attaque venant par-derrière, le long de la route que nous avions suivie, et j'eus le sentiment furtif d'une tromperie, à constater que les Viets se trouvaient en avant, entre nous et Saigon. C'était comme si nous nous étions acheminés vers le danger au lieu de le fuir, de même que je marchais parce que cela faisait moins de bruit que de courir, mais mon corps aurait voulu courir.

Au pied de l'échelle, je criai à Pyle :

— C'est moi. Fowler.

(Même à ce moment-là je ne pus me résoudre en lui parlant à me désigner par mon nom de baptême.)

À l'intérieur de la hutte, la scène avait changé. Les gamelles de riz étaient de nouveau sur le sol ; un homme adossé au mur tenait son fusil sur sa hanche et regardait Pyle fixement ; Pyle, agenouillé à quelque distance de l'autre mur, avait les yeux rivés sur la mitraillette qui gisait entre lui et le deuxième garde. On avait l'impression qu'il s'était glissé en rampant vers elle et que son geste avait été arrêté. Le bras du second garde se tendait vers l'arme : personne ne s'était battu ou n'avait même menacé, cela ressemblait à ce jeu d'enfants où, si l'on vous voit bouger, vous devez revenir à votre point de départ.

— Que se passe-t-il ? dis-je.

Les deux sentinelles me regardèrent. Pyle bondit en avant, attirant le fusil de son côté de la chambre.

— Est-ce un jeu ? demandai-je.

— Je n'aime pas qu'il soit armé... si les autres viennent.

— Vous êtes-vous déjà servi d'une Sten ?

— Non.

— Magnifique ! Moi non plus. J'espère qu'elle est chargée. Nous ne saurions pas la recharger.

Les gardes avaient pris très calmement la perte de l'arme. L'un abaissa la sienne qu'il posa en travers de ses cuisses, l'autre, affaissé contre le mur, ferma les yeux comme si, à la façon des enfants, il se croyait invisible dans l'obscurité. Peut-être était-il content de n'avoir plus de responsabilité. Au loin, je ne sais où, la mitrailleuse tira de nouveau... trois rafales, puis ce fut le silence. Le second soldat ferma hermétiquement les yeux, en plissant ses paupières bridées.

— Ils ignorent que nous ne savons pas nous en servir, dit Pyle.

— Ils sont censés être de notre côté.

— Je croyais que vous n'aviez pas de côté.

— *Touché*, dis-je. Je voudrais que les Viets le sachent.

— Qu'est-ce qui se passe par là ?

Je citai de nouveau l'*Extrême-Orient* du lendemain : « À cinquante kilomètres de Saigon, un poste a été attaqué et temporairement capturé, hier soir, par une bande d'irréguliers viet-minhs. »

— Croyez-vous que nous serions plus en sécurité dans les champs ?

— Ce serait horriblement humide.

— Vous n'avez pas l'air inquiet, dit Pyle.

— J'ai une peur bleue, mais les choses pourraient se présenter plus mal. Ils n'attaquent généralement pas plus de trois postes par nuit. Nos chances s'améliorent.

— Qu'est-ce que c'est ?

C'était le bruit d'un lourd véhicule qui arrivait sur la route, et se dirigeait vers Saigon. J'allai regarder par la meurtrière et, juste à ce moment-là, un char passa.

— La patrouille, dis-je.

Le canon de la tourelle était tourné, tantôt d'un côté, tantôt de l'autre. J'aurais voulu les appeler, mais à quoi bon ? Ils n'avaient pas de place sur leur char pour deux civils inutiles. Le sol de terre trembla un peu à leur passage, ils étaient partis. Je regardai ma montre : 8 h 51, et j'attendis, lisant les chiffres à grand-peine quand la lumière jaillissait, de même qu'on évalue la distance où la foudre est tombée, par le temps qui s'écoule avant le coup de tonnerre. Il se passa près de quatre minutes avant que le canon retentît. Je crus entendre un instant un bazooka lui répondre, puis tout se tut de nouveau.

— Quand ils reviendront, dit Pyle, nous pourrions leur faire signe pour qu'ils nous ramènent au camp.

Une explosion fit vibrer le plancher.

— S'ils reviennent, dis-je. Ceci ressemblait à l'éclatement d'une mine.

Quand je regardai de nouveau ma montre, il était un peu plus de 9 h 15 et le char n'était pas revenu. Il n'y avait plus eu de coups de feu.

Je m'assis à côté de Pyle et j'étirai mes jambes.

— Nous devrions essayer de dormir, dis-je. Nous ne pouvons rien faire d'autre.

— Je ne me sens pas tranquille avec ces sentinelles, dit Pyle.

— Nous n'avons rien à craindre d'eux tant que les Viets ne s'amènent pas. Mettez la Sten sous votre jambe pour plus de sûreté.

Je fermai les yeux et essayai d'imaginer que j'étais ailleurs... assis, le dos raide, dans un de ces compartiments de quatrième classe qu'on trouvait dans les trains allemands avant qu'Hitler prenne le pouvoir, aux jours de ma jeunesse où je passais la nuit assis, sans mélancolie, où les rêves que je faisais éveillé étaient pleins d'espoir et non de peur. C'était l'heure où Phuong se mettait à préparer mes pipes du soir. Je me demandai si une lettre m'attendait : j'espérais que non, car je savais ce que contiendrait une lettre, et tant qu'il n'en arrivait pas, je pouvais rêver l'impossible.

— Dormez-vous ? demanda Pyle.

— Non.

— Est-ce que vous ne croyez pas que nous devrions tirer l'échelle ?

— Je commence à comprendre pourquoi ils la laissent : c'est le seul moyen de fuir.

— Je voudrais bien que ce char revienne.

— Il ne reviendra pas.

Je m'efforçai de ne regarder ma montre qu'à de longs intervalles et les intervalles n'étaient jamais aussi longs qu'ils me l'avaient semblé. 9 h 40, 10 h 05, 10 h 12, 10 h 32, 10 h 41.

— Êtes-vous éveillé ? demandai-je à Pyle.

— Oui.

— À quoi pensez-vous ?

Il hésita.

— À Phuong, dit-il.

— Mais encore ?

— Je me demandais, tout simplement, ce qu'elle fait à cette heure-ci.

— Je puis vous le dire. Elle aura décidé que je passe la nuit à Tanyin : ce ne serait pas la première fois. Elle est étendue sur le lit à côté d'un bâtonnet d'encens qu'elle a allumé pour chasser les moustiques et elle regarde les photographies d'un vieux *Paris-Match*. Comme tous les Français, elle a une passion pour la famille royale anglaise.

Pyle dit d'un air songeur :

— Ça doit être merveilleux de savoir exactement...

Et je pouvais imaginer, dans le noir, ses doux yeux de chien. On aurait dû le baptiser *Azor*, pas Alden.

— En réalité, je ne « sais » pas. Mais c'est probablement vrai. Il ne sert à rien d'être jaloux quand il n'y a rien à faire. « Pas de barricade autour d'un ventre[1]. »

---

1. Shakespeare : *Conte d'Hiver*.

— Par moments, je déteste votre façon de parler, Thomas. Savez-vous comment Phuong m'apparaît : je la vois fraîche, comme une fleur.

— Pauvre fleur, dis-je. Étouffée par les mauvaises herbes.

— Où l'avez-vous connue ?

— Elle dansait au Grand-Monde.

— Elle dansait ! s'écria-t-il comme si cette idée le déchirait.

— C'est une profession parfaitement respectable, dis-je. Ne vous tourmentez pas.

— Vous avez tellement d'expérience, Thomas, c'est terrible !

— J'ai un nombre d'années terrible. Quand vous arriverez à mon âge...

— Je n'ai jamais pris une fille, pas jusqu'au bout. J'ignore ce que vous appelleriez une véritable expérience personnelle.

— Vos compatriotes me semblent consacrer une somme énorme de leur énergie à siffler.

— Je ne l'ai jamais dit à personne.

— Vous êtes jeune. Il n'y a pas de honte.

— Est-ce que vous avez possédé un tas de femmes, Fowler ?

— Je ne sais pas ce que signifie « un tas de ». Il n'y a que quatre femmes – pas plus – qui aient eu quelque importance pour moi, ou moi pour elles. Les quarante autres ou à peu près... on se demande pourquoi on fait ça. C'est par une conception de l'hygiène, ou de ses obligations sociales, aussi erronées l'une que l'autre.

— Vous les croyez vraiment erronées ?

— Je voudrais pouvoir récupérer ces nuits. Je suis toujours amoureux, Pyle, et de moins en moins désirable. Oh ! il y a aussi la vanité, naturellement. Nous mettons longtemps à cesser d'être fiers qu'on nous recherche. Et pourtant, Dieu sait pourquoi cela nous flatte, quand nous voyons autour de nous les hommes qu'elles essaient de conquérir !

— Vous ne pensez pas que je sois détraqué de ce côté-là, Thomas, dites-moi ?

— Non, Pyle.

— Ça ne veut pas dire que je n'en ai pas envie, Thomas, comme tout le monde, je ne suis pas... anormal.

— Nul de nous n'en a autant envie que nous le prétendons. Nous entourons cela d'une dose énorme d'autosuggestion. Maintenant, je sais que je ne désire pas une seule femme... sauf Phuong. Mais c'est une science qui vous vient avec le temps. Si Phuong n'existait pas, je passerais une année entière sans une seule nuit d'inquiétude.

— Mais elle existe, dit-il, d'une voix que j'entendis à peine.

— On commence par prendre son plaisir un peu partout, puis l'on finit comme son propre grand-père, fidèle à une seule femme.

— Je suppose qu'on a l'air un peu naïf quand on commence par là.

— Non.

— Ça ne figure pas dans le rapport Kinsey.

— Si c'était naïf, vous l'y trouveriez.

— Vous savez, Thomas, c'est rudement bon d'être ici, à bavarder avec vous de cette manière. C'est étrange, il me semble qu'il n'y a plus du tout de danger.

— Nous avions cette impression-là pendant le blitz, quand une accalmie se produisait. Mais « ils » revenaient toujours.

— Si l'on vous demandait quel a été le moment le plus profond de votre expérience sexuelle, que répondriez-vous ?

Ma réponse à cette question était toute prête.

— Un matin de bonne heure, j'étais au lit et je regardais une femme en robe de chambre rouge qui se brossait les cheveux.

— Joe dit que, pour lui, c'est d'avoir couché avec une Chinoise et une négresse en même temps.

— C'est le genre d'idée que j'aurais eue à vingt ans.

— Joe en a cinquante.

— Je me demande quel âge mental on lui a donné en l'envoyant à la guerre.

— Était-ce Phuong la femme en robe de chambre rouge ?

Comme j'aurais voulu qu'il ne me posât pas cette question !

— Non, dis-je. Elle est venue avant Phuong. Quand j'ai quitté ma femme.

— Qu'est-il arrivé ?

— Je l'ai quittée, elle aussi.

— Pourquoi ?

Pourquoi, en vérité ?

— Nous sommes idiots, dis-je, quand nous aimons. L'idée de la perdre me terrifiait. Il m'a semblé la voir changer. Je ne sais pas si elle changeait vraiment, mais je ne pouvais plus supporter cette incertitude. J'ai couru vers le dénouement comme un poltron court à l'ennemi et gagne une décoration. Je voulais en finir tout de suite avec la mort.

— La mort ?

— C'était une espèce de mort. Et puis, je suis parti pour l'Orient.

— Et vous avez trouvé Phuong.

— Oui.

— Mais n'avez-vous pas le même sentiment auprès de Phuong ?

— Pas du tout. Voyez-vous, l'autre femme m'aimait. J'avais peur de perdre cet amour. Maintenant, j'ai seulement peur de perdre Phuong.

Pourquoi ai-je dit cela, je me le demande ? Il n'avait pas du tout besoin de mes encouragements.

— Mais elle vous aime, n'est-il pas vrai ?

— D'une autre façon. Ce n'est pas dans sa nature. Vous vous en apercevrez. C'est un *cliché* que de les appeler des enfants, mais il y a pourtant en eux un côté enfantin : ils vous donnent leur affection en retour de votre bonté, de la sécurité, des cadeaux que vous leur faites. Ils vous détestent pour une bourrade, ou une injustice. Ils ne savent pas qu'on peut entrer dans une pièce et se mettre à aimer une personne inconnue. Pour un homme qui vieillit, Pyle, c'est très rassurant : elle ne quittera jamais ma maison tant que ce sera une maison heureuse.

Mon intention n'était pas de lui faire du mal. Je ne me rendis compte de celui que je lui faisais qu'en l'entendant dire d'une voix étouffée et furieuse :

— Elle pourrait préférer plus de sécurité, ou plus de bonté.

— Peut-être.

— Ne le craignez-vous pas ?

— Pas autant que je craignais l'autre situation.

— L'aimez-vous, seulement ?

— Oh ! oui, Pyle, oui. Mais, de cette autre manière, je n'ai aimé qu'une fois.

— Malgré les quarante femmes environ, me lança-t-il sèchement.

— Je suis sûr que cela reste inférieur à la moyenne, d'après Kinsey. Voyez-vous, Pyle, les femmes n'ont que faire des hommes vierges. Je ne suis pas sûr d'ailleurs que nous préférions les femmes vierges à moins d'appartenir à un certain type pathologique.

— Je ne vous ai pas dit que j'étais vierge, dit-il.

Mes entretiens avec Pyle semblaient toujours prendre un tour grotesque. Était-ce à cause de sa sincérité que nos propos déraillaient si souvent, et quittaient les lignes habituelles ? Sa conversation ratait tous les tournants.

— On peut posséder cent femmes et ne pas cesser d'être vierge, Pyle. La plupart de vos G.I.'s qui ont été pendus pour crime de viol pendant la guerre étaient vierges. Nous n'en avons pas tant que cela en Europe. Heureusement. Ils font beaucoup de mal.

— Je ne vous comprends pas du tout, Thomas.

— Cela ne vaut pas la peine que je vous l'explique. D'ailleurs ce sujet de conversation m'assomme. J'ai atteint un âge où les problèmes sexuels ont moins d'importance que la vieillesse et la mort. Je m'éveille avec ces préoccupations dans l'esprit plutôt qu'avec l'image d'un corps de femme. Tout ce que je désire, c'est ne pas être seul pendant mes dix dernières années. Rien d'autre. Je ne saurais pas à quoi penser toute la journée. Je voudrais avoir une femme près de moi, dans la même pièce... même une femme que je n'aimerais pas. Mais si Phuong me quittait, aurais-je l'énergie d'en chercher une autre ?

— Si c'est tout ce qu'elle représente pour vous...

— Tout, Pyle ? Attendez d'avoir peur de vivre dix ans seul, sans compagne, et au bout de cela, l'hospice. Alors, vous vous mettrez à courir dans toutes les directions, vous fuirez même cette femme en peignoir rouge, pour en trouver une, n'importe laquelle, mais qui dure jusqu'à la fin.

— Alors, pourquoi ne retournez-vous pas auprès de votre femme ?

— Ce n'est pas facile de vivre avec quelqu'un à qui l'on a fait du mal.

Une longue rafale de Sten retentit ; c'était sûrement à moins de deux kilomètres. Peut-être une sentinelle énervée tirait-elle sur une ombre. Peut-être une nouvelle attaque avait-elle commencé. J'espérais qu'il s'agissait d'une attaque : cela augmentait nos chances.

— Avez-vous peur, Thomas ?

— Bien sûr, j'ai peur. De tout mon instinct. Mais ma raison m'affirme qu'il vaut mieux mourir de cette mort. C'est pour cela que je suis venu en Orient. La mort ne vous y quitte pas.

Je regardai ma montre. Il était onze heures passées. Encore huit heures de nuit et nous pourrions nous détendre.

— Je crois, ajoutai-je, que nous avons parlé à peu près de tout, sauf de Dieu. Il faut le garder pour les petites heures.

— Vous ne croyez pas en Lui, il me semble ?

— Non.

— Pour moi, sans Lui, les choses n'auraient pas de sens.

— Elles n'ont aucun sens pour moi avec Lui.

— J'ai lu un livre autrefois...

Je ne sus jamais quel livre Pyle avait lu. (Je suppose que ce n'était pas *York Harding* ou *Shakespeare*, ou l'*Anthologie des Poètes contemporains* ou la *Physiologie du Mariage*... Peut-être était-ce *Le Triomphe de la vie*.) Une voix entra dans la tour et éclata à côté de nous, elle semblait sortir de l'ombre, près de la trappe, une voix au son creux de mégaphone qui disait quelque chose en vietnamien.

— Notre compte est bon, dis-je.

Les deux sentinelles écoutaient, bouche bée, le visage tourné vers la meurtrière.

— Qu'est-ce que c'est ? demanda Pyle.

En traversant la pièce pour regarder dehors par la fente, j'eus l'impression de marcher au travers de la voix. Dehors, tout restait invisible. Je ne distinguais même pas la route et quand je me retournai vers l'intérieur de la pièce, le fusil était braqué, mais je n'étais pas sûr que ce fût sur moi, ou sur la meurtrière. Pourtant, quand je suivis le mur, le fusil bougea, hésita, me tint en joue ; la voix continuait à répéter les mêmes mots. Je m'assis et le canon du fusil s'abaissa.

— Que dit-il ? demanda Pyle.

— Je n'en sais rien. Je suppose qu'ils ont trouvé la voiture et qu'ils disent à ces deux types qu'il faut qu'on la leur donne ou que ça va barder ! Ramassez donc la mitraillette avant qu'ils prennent une décision.

— Il va tirer.

— Il n'est pas encore sûr. Quand il l'aura décidé, il tirera de toute façon.

Pyle changea sa jambe de place et le fusil apparut.

— Je vais suivre le mur, dis-je. Quand son regard se déplacera, mettez-le en joue.

Au moment même où je me levais, la voix se tut : le silence me fit sursauter. Pyle dit d'une voix brève :

— Jette ton fusil.

À peine avais-je eu le temps de me demander si la Sten était chargée ou non (je n'avais pas pris la peine de vérifier), que l'homme jeta son fusil.

Je traversai la pièce et le ramassai. Alors, la voix se remit à crier. J'eus l'impression que c'étaient les mêmes mots, les mêmes syllabes. Peut-être employaient-ils un disque de phono. Je me demandai à quel moment allait expirer l'ultimatum.

— Et maintenant, que va-t-il se passer ? demanda Pyle, comme un écolier qui surveille une expérience de laboratoire.

Il ne paraissait pas personnellement en jeu.

— Peut-être un bazooka, peut-être un Viet.

Pyle examina son arme.

— Ça n'a pas l'air très mystérieux, dit-il. Si je tirais ?

— Non, laissez-les hésiter. Ils préfèrent prendre le poste sans coup férir, et cela nous donne du temps. Le mieux est de filer en vitesse.

— Ils nous attendent peut-être en bas.

— Peut-être.

Les deux hommes nous regardaient : j'écris « hommes », mais je ne crois pas que leurs âges additionnés eussent atteint quarante ans.

— Et ces deux-là ? demanda Pyle, qui ajouta avec une effrayante simplicité : Faut-il que je les abatte ?

Il avait peut-être envie d'essayer la Sten.

— Ils n'ont rien fait de mal.

— Ils allaient nous livrer aux autres.

— Pourquoi pas ? Nous n'avons pas le droit d'être ici. C'est leur pays.

Je déchargeai le fusil et le posai sur le sol.

— Vous n'allez tout de même pas leur laisser cela, dit Pyle.

— Je suis trop vieux pour courir en tenant un fusil. Et puis, ce n'est pas ma guerre. Venez.

Ce n'était pas ma guerre, mais j'aurais bien voulu que les autres, qui attendaient dans le noir, en fussent aussi sûrs que je l'étais. Je soufflai sur la lampe à huile et je laissai pendre mes jambes par la trappe, cherchant du pied l'échelle. J'entendais les sentinelles chuchoter ensemble dans leur langue, comme s'ils chantaient à bouche fermée.

— Droit devant vous, dis-je à Pyle. Dirigez-vous vers la rizière. Rappelez-vous qu'il y a de l'eau. Je ne sais pas si elle est profonde. Prêt ?

— Oui.

— Merci d'être venu.

— Tout le plaisir est pour moi, dit Pyle.

J'entendis bouger les gardes derrière nous. Je me demandai s'ils avaient des couteaux. La voix de mégaphone parla d'un ton péremptoire, comme pour offrir une dernière chance. Quelque chose s'agita doucement audessous de nous dans les ténèbres, mais c'était peut-être un rat. J'hésitai.

— Bon Dieu, murmurai-je, une boisson forte serait la bienvenue.

— En route.

Quelque chose montait à l'échelle : je n'entendais rien, mais les barreaux tremblaient sous mes pieds.

— Qu'est-ce qui vous arrête ? demanda Pyle.

Je ne sais pas pourquoi, c'était dans ma pensée « quelque chose », ce mouvement furtif et silencieux d'approche. Seul un homme est capable de monter à l'échelle, et pourtant je ne pouvais imaginer que ce fût un homme semblable à moi-même ; il me semblait qu'un animal s'avançait pour tuer, très tranquillement et sans aucun doute avec l'absence de remords d'une créature d'une autre espèce. L'échelle tremblait, tremblait, et je croyais voir des yeux briller au-dessous de moi. Tout à coup, je ne pus plus le supporter et je sautai, et il n'y avait rien du tout, rien que le sol spongieux qui enserra ma cheville et la tordit aussi sûrement qu'aurait pu le faire une main. J'entendis Pyle descendre échelon par échelon et je compris que je m'étais conduit avec l'idiotie d'un poltron qui ne reconnaît pas ses propres tremblements. Dire que je me prenais pour un type coriace et dénué d'imagination, tout ce que doit être un bon observateur et un reporter véridique ! Je me remis debout et faillis retomber tant la douleur était vive. Je partis dans la direction du champ en traînant la patte et j'entendis Pyle qui arrivait derrière moi. Alors un obus de bazooka éclata sur la tour et je me retrouvai face contre terre.

4

— Êtes-vous blessé ? demanda Pyle.

— J'ai senti un choc à la jambe. Rien de grave.

— Avançons, insista-t-il.

Je ne le distinguais que parce qu'il me semblait saupoudré d'une fine poussière blanche. Puis il s'effaça brusquement, comme l'image sur l'écran quand les projecteurs baissent : seule la piste sonore se déroulait. Je me relevai en m'appuyant avec précaution sur mon genou intact, et j'essayai de me tenir debout sans peser sur ma cheville gauche foulée, mais je me retrouvai une fois de plus à terre, le souffle coupé par la souffrance. Ce n'était pas ma cheville : il était arrivé quelque chose à ma jambe gauche. Je n'avais plus d'appréhension : la douleur physique éclipsait l'angoisse. Je restais au sol, parfaitement immobile, dans l'espoir que la douleur ne me retrouverait pas : je me retenais même de respirer, comme on fait pendant une rage de dents. Je ne pensais plus aux Viets qui allaient bientôt arriver pour fouiller les ruines de la tour de guet. Un nouvel obus la toucha et explosa. Ils prenaient toutes leurs précautions, avant d'arriver en personne. « Quelle énorme dépense, pensai-je, tandis que la douleur reculait, pour tuer quelques humains ; on tue les chevaux à meilleur marché. » Je n'avais sûrement pas toute ma connaissance, car je me mis à songer que j'étais entré par hasard dans un chantier d'équarrissage qui avait été la terreur de mon enfance dans la petite ville où je suis né. Nous nous imaginions y entendre les hennissements de terreur des chevaux et les détonations du revolver d'abattage.

Il y avait un moment que je ne sentais plus la douleur, à force d'éviter le moindre mouvement et de retenir mon souffle, ce qui me paraissait tout aussi important. Avec une lucidité totale, je me demandai si je ne devrais pas ramper vers les champs. Les Viets n'auraient peut-être pas le temps de chercher bien loin. Une autre patrouille allait apparaître et tenterait de communiquer avec l'équipage du premier char. Mais j'avais plus peur de la douleur que des partisans et je demeurai immobile. Pas un son ne révélait la présence de Pyle, il avait dû atteindre les champs. Tout à coup, j'entendis quelqu'un pleurer. Cela venait de la direction de la tour, ou de ce qui avait été la tour. Ce n'était pas le bruit que fait un homme en pleurant, on aurait dit un enfant qui a peur de l'obscurité, mais n'ose tout de même pas crier. Je supposai que ce devait être un des deux jeunes soldats : peut-être son compagnon avait-il été tué. J'espérais que les Viets ne lui couperaient pas la gorge. On ne devrait pas faire la guerre aux enfants, et l'image d'un petit corps recroquevillé au fond d'un fossé me revint à l'esprit. Je fermai les yeux... cela aussi m'aidait à empêcher la douleur d'approcher, et j'attendis. Une voix cria quelque chose que je ne compris pas. J'avais presque la sensation que je pourrais dormir dans ces ténèbres, cette solitude et cette absence de douleur.

Et puis j'entendis Pyle qui chuchotait :

— Thomas ! Thomas !

Il avait appris vite l'art de marcher sans bruit : je ne l'avais pas entendu revenir.

— Allez-vous-en, répondis-je dans un murmure.

Il me trouva et s'allongea à plat près de moi.

— Pourquoi n'avez-vous pas suivi ? Êtes-vous blessé ?

— Ma jambe. Je crois qu'elle est cassée.

— Une balle ?

— Non, non. Un bout de bois, une pierre, un morceau de la tour. Ça ne saigne pas.

— Il faut que vous fassiez un effort.

— Allez-vous-en, Pyle. Je ne veux pas, ça fait trop mal.

— Quelle jambe ?

— La gauche.

Il se glissa le long de mon corps et fit passer mon bras par-dessus son épaule. J'avais envie de pleurnicher comme le jeune soldat de la tour et en plus j'étais furieux, mais il est difficile d'exprimer sa colère dans un chuchotement.

— Foutez-moi la paix, Pyle. Je veux rester ici.

— Vous ne pouvez pas.

Il me tirait, me portant à demi vers son épaule et la douleur était intolérable.

— Ne jouez pas les héros, nom de Dieu, je ne veux pas bouger.

— Il faut que vous y mettiez du vôtre, vous allez nous faire prendre tous les deux.

— Vous...

— Taisez-vous, ils vont vous entendre.

Je pleurais d'humiliation, le mot n'est pas trop fort. Je me hissai contre lui en laissant pendre ma jambe gauche... nous avions l'air de compétiteurs balourds dans une course sur trois jambes et nous aurions été perdus d'avance si, au moment où nous nous mîmes en route, une mitrailleuse n'avait commencé à tirer, en courtes et rapides pétarades, quelque part sur la route, en direction dc la tour de guet suivante : peut-être une patrouille montait-elle, ou bien encore étaient-ils en train de compléter leur tableau habituel de trois tours démolies. Le bruit couvrit celui de notre fuite lente et maladroite.

Je ne suis pas sûr d'avoir eu ma connaissance tout le temps du trajet : je crois que lorsque nous franchîmes les vingt derniers mètres Pyle me portait presque.

— Attention, dit-il. Ici, nous entrons dedans.

Le riz sec bruissait autour de nous tandis que la boue montait en giclant. Nous avions de l'eau jusqu'à la taille quand Pyle s'arrêta. Il haletait et sa respiration entrecoupée me fit songer à une grenouille-taureau.

— Je vous demande pardon, dis-je.

— Je ne pouvais pas vous laisser, dit-il.

Je ressentis d'abord un grand soulagement : l'eau et la boue enserraient ma jambe avec la tendresse et la fermeté d'une bande velpeau, mais le froid nous fit bientôt claquer des dents. Je me demandais si minuit était déjà passé : en admettant que les Viets ne nous découvrent pas, nous aurions à supporter six heures de cela.

— Pouvez-vous déplacer un peu votre poids ? demanda Pyle. Rien qu'un moment.

Et mon irritation irraisonnée s'éveilla de nouveau : je n'avais d'autre excuse que la souffrance. Je n'avais pas demandé à être sauvé, ou plutôt à ce qu'on retardât ma mort au prix de toute cette souffrance. Je m'installai sur une jambe, comme un échassier, pour essayer de soulager Pyle de mon poids, et quand je bougeai, nous sentîmes les tiges du riz nous chatouiller et nous taillader, en bruissant.

— Vous m'avez sauvé la vie là-bas, dis-je (et Pyle se gratta la gorge, prêt à me répondre par une phrase de convention), afin que je puisse mourir ici. Je préfère la terre sèche.

— Vous feriez mieux de ne pas parler, dit Pyle comme s'il s'adressait à un grand malade. Il faut économiser nos forces.

— Qui diable vous a prié de me sauver la vie ? Je suis venu dans ce pays pour me faire tuer. Avec cette foutue manie de vous mêler de ce qui ne vous regarde pas...

Je chancelai dans la boue et Pyle remit mon bras autour de son épaule.

— Appuyez-vous, dit-il.

— Vous avez vu trop de films de guerre. Nous ne sommes pas deux fusiliers marins et on ne vous donnera pas la croix d'honneur.

— Chut, chut...

On entendait des bruits de pas qui descendaient jusqu'au bord du champ. Sur la route, la mitrailleuse avait cessé de tirer et tout était silencieux, à part ces bruits de pas et le bruissement du riz quand nous respirions. Alors, les pas s'arrêtèrent : ils semblaient n'être qu'à une largeur de chambre. Je sentis sur mon bon côté la main de Pyle qui pesait d'une lente pression pour me faire descendre. Nous nous enfonçâmes ensemble dans la boue, très lentement, afin de secouer le riz le moins possible. Un genou au sol, et en renversant très fort la tête en arrière, j'arrivais tout juste à tenir ma bouche hors de l'eau. La douleur de ma jambe revint et je pensai : « Si je m'évanouis ici, je me noie. » J'avais toujours craint et détesté l'idée de la noyade. Pourquoi ne peut-on choisir sa mort ? On n'entendait plus le moindre bruit : peut-être, à dix pas de nous, attendaient-ils un frôlement, une toux, un éternuement. « Oh ! mon Dieu, pensai-je, je vais éternuer. » Si seulement il m'avait laissé seul, je n'aurais été responsable que de ma propre vie, pas de la sienne, et il tenait à la vie. J'appuyai mes doigts libres contre ma lèvre supérieure, comptant sur ce truc que les enfants apprennent en jouant à cache-cache, mais l'éternuement continua de menacer, guettant le moment d'éclater, tandis que, silencieux dans l'ombre, les autres attendaient l'éternuement. Il venait, venait, vint...

Mais à la seconde précise où il retentissait, les Viets déclenchèrent le tir de leurs Sten, traçant une ligne de viséc dans la rizière... et mon éternuement se perdit dans les crépitations sèches, semblables à celles d'une foreuse perçant des trous dans l'acier. Je respirai longuement et plongeai : ainsi nous évitons instinctivement l'objet aimé, et nous faisons des coquetteries à la mort comme une femme exige d'être violée par son amant. Les tiges du riz, cinglées, plièrent sous la rafale et la bourrasque passa. Sortant la tête de l'eau au même moment pour retrouver l'air, nous entendîmes les pas s'éloigner et retourner vers la tour.

— Nous voilà tirés d'affaire, dit Pyle.

Et malgré mes souffrances je pensai : « Quelle affaire ? » C'était pour moi la vieillesse, un fauteuil de rédacteur au journal, la solitude ; et quant à lui, on sait maintenant qu'il avait parlé trop vite. Alors, dans le froid, nous nous installâmes pour attendre. Sur la route de Tanyin, un feu de joie se mit à flamber, il brûlait allégrement comme l'embrasement d'un soir de fête.

— C'est ma voiture, dis-je.

— Quel dommage, Thomas ! J'ai horreur de voir détruire inutilement.

— Il devait y avoir tout juste assez d'essence dans le réservoir pour y mettre le feu. Avez-vous aussi froid que moi, Pyle ?

— Je ne pourrais pas avoir plus froid.

— Si nous sortions de là et que nous nous allongions sur la route ?

— Donnons-leur encore une demi-heure.

— Je pèse sur vous.

— Je peux tenir le coup, je suis jeune.

Il avait lancé cette revendication pour plaisanter, mais elle me glaça autant que la boue elle-même. Je voulais m'excuser pour les mots par lesquels ma souffrance s'était exprimée, mais voilà que de nouveau ma souffrance parla :

— Vous êtes jeune, c'est certain. Vous pouvez vous permettre d'attendre, n'est-ce pas ?

— Je ne vous comprends pas, Thomas.

Nous avions passé ensemble quelques heures aussi longues, semblait-il, que les sept nuits d'une semaine, mais il ne me comprenait pas mieux qu'il ne comprenait le français.

— Vous auriez mieux fait de me laisser là où j'étais, dis-je.

— Je n'aurais jamais pu regarder Phuong en face, répondit-il.

Et ce nom reposa entre nous comme la carte qu'un joueur vient d'abattre : je relevai la carte.

— Donc, c'était pour elle, dis-je. (Ce qui rendait ma jalousie plus absurde et plus humiliante, c'était qu'elle n'avait pour s'exprimer que le plus faible des chuchotements et la jalousie se plaît aux tirades théâtrales.) Vous vous figurez que ce bluff héroïque va l'impressionner. Comme vous vous trompez ! Si j'étais mort, elle aurait pu être à vous.

— Je ne voulais pas dire cela, dit Pyle. Quand on aime, on veut jouer le jeu, c'est tout.

C'est vrai, pensai-je, mais ce n'est pas aussi innocent qu'il le croit. Aimer, c'est se voir comme un autre être vous voit, c'est être amoureux de sa propre image déformée et sublimée. En amour, nous sommes incapables d'honneur, l'acte de bravoure n'est jamais qu'un rôle joué devant un public de deux personnes. Peut-être n'étais-je plus amoureux, mais je me rappelais.

— À votre place, je serais parti seul, dis-je.

— Oh ! non, vous n'auriez pas fait cela, Thomas !

Et il ajouta avec une insupportable fatuité :

— Je vous connais mieux que vous ne vous connaissez vous-même.

Furieux, j'essayai de m'écarter de lui et de supporter seul mon propre poids, mais la douleur revint en grondant comme un train sous un tunnel et je m'appuyai sur lui encore plus pesamment, avant de me laisser couler dans la rizière. Il me retint, de ses deux bras passés autour de mon corps, puis se mit à me traîner centimètre par centimètre vers le talus et le bord de la route. Quand il eut réussi à m'y haler, il m'étendit à plat dans la mince couche de boue, sous le tertre qui bordait le champ, et quand la douleur s'éloigna, quand j'ouvris les yeux, cessant enfin de retenir ma respiration, je ne pouvais voir que le tracé compliqué des constellations : langage chiffré en une langue étrangère que je ne pouvais lire ; ce n'étaient pas les étoiles de chez nous. Le visage de Pyle se mit à tournoyer au-dessus du mien et les cacha.

— Je vais descendre la route, Thomas, pour chercher une patrouille.

— Ne faites pas l'idiot, dis-je. Ils vous tireront dessus avant de savoir qui vous êtes. En admettant que les Viets ne vous ramassent pas.

— C'est notre seule chance. Vous ne pouvez pas rester couché dans l'eau pendant six heures.

— Alors, couchez-moi sur la route.

— Ça ne servirait à rien que je vous laisse la Sten ? demanda-t-il en hésitant.

— Bien sûr que non. Si vous êtes résolu à jouer les héros, au moins allez lentement et marchez dans le riz.

— La patrouille passerait avant que j'aie pu lui faire signe.

— Vous ne parlez pas français.

— Je crierai : *Je suis frongçais*, ne vous faites pas de souci, Thomas. Je serai très prudent.

Avant que j'aie pu répondre, il était hors d'atteinte de mes chuchotements ; il se déplaçait aussi silencieusement qu'il en était capable, en s'arrêtant fréquemment. Je pouvais le voir à la lueur de la voiture qui se consumait ; pas de coup de feu : bientôt il disparut au-delà de l'incendie, et très vite le silence absorba le bruit de ses pas. Oh ! oui, il était prudent comme il avait été prudent lorsqu'il avait descendu la rivière en barque jusqu'à Phat Diem, avec l'attention minutieuse du héros dans un livre d'aventures pour petits garçons, fier de sa prudence autant que d'un insigne de boy-scout et sans se douter à quel point son aventure était absurde et improbable.

Étendu, immobile, l'oreille aux aguets, je m'attendais à des coups de feu des Viets ou de la Légion, mais rien ne se produisit ; il lui faudrait probablement une heure ou plus pour atteindre la prochaine tour, s'il l'atteignait jamais. Je tournai la tête, juste assez pour voir ce qui restait de notre tour, un amoncellement de terre, de bambous et d'étais qui semblait s'affaisser à mesure que les flammes de la voiture baissaient. La paix régnait quand la douleur se taisait : sorte d'armistice des nerfs, et j'avais envie de chanter. Comme c'est étrange, me disais-je, de penser que les hommes de ma profession ne tireraient de toute cette nuit qu'un fait divers en deux lignes. Ce n'était qu'une nuit comme il y en a tant, et j'étais le seul objet insolite qu'elle contînt. Alors, j'entendis un bruit sourd de sanglots qui venait de ce qui restait de la tour : un des hommes de garde devait être encore vivant.

« Pauvre diable, pensai-je, si nous n'avions pas eu cette panne tout près de son poste, il aurait pu se rendre, comme ils se rendent presque tous, ou fuir au premier appel du mégaphone. » Mais nous étions là, deux Blancs, et nous avions la mitraillette, et ils n'osaient pas bouger. Quand nous étions partis, il était trop tard. Je portais la responsabilité de cette voix qui pleurait dans le noir : je m'étais fait une gloire de ma liberté d'esprit, de mon absence de liens avec cette guerre, mais ces blessures, je les avais infligées aussi sûrement que si je m'étais servi de la Sten, comme Pyle voulait le faire.

Je fis un effort pour franchir le talus et atteindre la route. Je voulais aller le rejoindre. C'était la seule chose que je pouvais faire : partager sa souffrance. Mais ma propre souffrance me rejeta en arrière. Je ne l'entendais plus ; je me tenais immobile et n'entendais que ma propre douleur qui battait comme un cœur monstrueux ; je retins mon souffle et priai le Dieu en qui je ne crois pas : « Faites que je meure ou que je m'évanouisse. Faites que je meure ou que je m'évanouisse. » Alors, je suppose que je perdis connaissance, car je ne sus plus rien jusqu'au moment où je rêvai que mes paupières étaient soudées par la glace et qu'on essayait de me les ouvrir de force à l'aide d'un ciseau ; je voulais recommander qu'on n'abîme pas mes yeux dans l'opération, mais je ne pouvais pas parler et le ciseau commençait à pénétrer. Une lampe électrique s'alluma brusquement devant mon visage.

— Nous sommes hors de danger, Thomas ! dit Pyle.

Je me rappelle ces mots, mais je ne me rappelle pas ce que Pyle raconta plus tard autour de nous : que j'agitai la main dans la mauvaise direction en leur disant qu'il y avait un homme dans la tour et qu'ils devaient s'occuper de lui. En tout cas, je ne saurais donner à ce geste le sens que lui donnait Pyle, en sentimental qu'il était. Je me connais, et je connais la profondeur de mon égoïsme. Je ne peux pas être en paix (et la paix est mon plus grand désir) si quelqu'un souffre à portée de mes yeux, de mes oreilles ou de mes mains. Les innocents prennent quelquefois cela pour de la bonté, une absence d'égoïsme, alors que je me contente de sacrifier une légère satisfaction (dans ce cas il s'agissait de retarder d'un instant les soins donnés à ma blessure) pour une satisfaction beaucoup plus grande, la paix de l'esprit qui me permet de penser uniquement à moi-même.

Ils revinrent m'apprendre que le jeune soldat était mort et je fus soulagé. Je n'eus même pas à souffrir beaucoup une fois que la piqûre de morphine m'eut mordu la jambe.

Chapitre 3

1

Je montai lentement l'escalier de l'appartement, rue Catinat, en m'arrêtant pour me reposer au premier palier. Les vieilles femmes papotaient, accroupies selon leur habitude sur le plancher, devant *l'urinoir*, la destinée inscrite sur les rides de leurs visages, comme d'autres la portent à la paume de leur main. Elles se turent au moment où je passais et je me demandai ce qu'elles auraient pu me révéler, si j'avais compris leur langue, sur ce qui s'était passé pendant que j'étais à l'hôpital de la Légion, là-bas, sur la route de Tanyin. Entre la ville et les rizières, j'avais perdu mes clés, mais j'avais envoyé à Phuong un message qu'elle avait dû recevoir, si elle était toujours là. Ce « si » contenait la somme de mon incertitude. Je n'avais reçu aucune nouvelle d'elle à l'hôpital, mais elle avait beaucoup de difficulté à écrire le français et je ne lisais pas le vietnamien. Je frappai à la porte qui s'ouvrit immédiatement : rien ne me parut avoir changé. Je la surveillai de très près lorsqu'elle me demanda comment j'allais, posa son doigt sur ma jambe garnie d'attelles et me donna son épaule pour que je m'y appuie, comme si l'on pouvait trouver un soutien solide sur une plante aussi jeune.

— Je suis content d'être chez nous, dis-je.

Elle m'assura que je lui avais manqué, et c'était – naturellement – ce que je désirais entendre : comme un coolie qui répond à des questions, elle me disait toujours ce que je désirais entendre, sauf accident... et j'attendais l'accident.

— Comment t'es-tu distraite ? demandai-je.

— Oh ! je voyais souvent ma sœur. Elle a trouvé un poste chez les Américains.

— Ah ! oui, vraiment ? Avec l'aide de Pyle ?

— Non, pas de Pyle, de Joe.

— Qui est Joe ?

— Tu le connais. L'attaché économique.

— Ah ! oui, oui, bien sûr, Joe.

C'était un homme qu'on oubliait toujours. Encore aujourd'hui, je suis incapable de le décrire, je ne me rappelle que son obésité, ses joues rasées de près et poudrées, et son gros rire ; son identité entière m'échappe. Je sais seulement qu'on l'appelait Joe. Il y a des hommes dont les noms sont toujours abrégés.

Avec l'aide de Phuong, je m'étendis sur le lit.

— Tu es allée au cinéma ? demandai-je.

— Il y a un film très drôle au Catinat...

Et elle se mit aussitôt à m'en raconter l'intrigue en grand détail, tandis que je cherchais des yeux dans la pièce l'enveloppe blanche qui pourrait être un télégramme. Tant que je ne posais pas la question, je pouvais croire que Phuong avait oublié de me le dire, et que l'enveloppe était peut-être sur la table près de la machine à écrire, ou sur l'armoire, ou encore, pour plus de sûreté, dans le tiroir du placard où elle rangeait sa collection d'écharpes.

— ... Le receveur des postes (je crois que c'était le receveur des postes, mais c'était peut-être le maire) les a suivis jusqu'à la maison, et il a emprunté une échelle au boulanger et il a grimpé jusqu'à la fenêtre de Corinne, seulement, elle était partie dans l'autre pièce avec François, tu sais, mais il n'a pas entendu venir

Mme Bompierre et elle est entrée et elle l'a vu en haut de l'échelle et elle a cru...

— Qui était Mme Bompierre ? demandai-je, en tournant la tête pour regarder la table de toilette où elle plantait parfois des pense-bête au milieu des flacons.

— Je te l'ai dit. C'était la mère de Corinne et elle essayait de trouver un mari parce qu'elle était veuve...

Elle s'assit sur le lit et passa la main sous ma chemise.

— C'était très amusant, dit-elle.

— Embrasse-moi, Phuong.

Elle était sans coquetterie. Elle fit immédiatement ce que je lui demandais et continua l'histoire du film. De la même manière, elle aurait fait l'amour, si je le lui avais demandé ; elle se serait séance tenante dépouillée de son long pantalon sans discuter, puis après, elle aurait repris où elle l'avait laissée l'histoire de Mme Bompierre et du receveur des postes en mauvaise posture.

— Est-ce qu'un appel est venu pour moi ?

— Oui.

— Pourquoi ne me l'as-tu pas donné ?

— C'est trop tôt pour que tu travailles. Il faut que tu restes étendu et que tu te reposes.

— Ce n'est peut-être pas du travail.

Elle me donna le pli et je vis qu'il avait été ouvert.

Je lus : « Prière envoyer 400 mots arrière-plan effet départ de Lattre sur situation politique et militaire. »

— Oui, dis-je, il s'agit vraiment de travail. Comment le savais-tu ? Pourquoi l'as-tu ouvert ?

— Je pensais que ça venait de ta femme. J'espérais que c'était une bonne nouvelle.

— Qui te l'a traduit ?

— Je l'ai montré à ma sœur.

— Si ç'avait été une mauvaise nouvelle, m'aurais-tu quitté, Phuong ?

Elle frotta sa main contre ma poitrine pour me rassurer, sans comprendre que cette fois c'était de mots que j'avais besoin, si mensongers qu'ils fussent.

— Veux-tu une pipe ? Il y a une lettre pour toi. Peut-être que cela vient d'elle.

— L'as-tu ouverte aussi ?

— Je n'ouvre pas tes lettres. Les télégrammes sont publics. Les postiers les lisent.

Cette enveloppe était dans les écharpes. Elle l'en sortit du bout des doigts et la posa délicatement sur le lit. Je reconnus l'écriture.

— Si ceci contient une mauvaise nouvelle, vas-tu...

Je savais fort bien que la nouvelle ne pouvait être que mauvaise. Un télégramme eût été l'indice d'un élan de généreuse spontanéité ; une lettre ne pouvait représenter qu'une explication, une justification... je laissai donc ma question inachevée, car il n'est pas honnête de solliciter le genre de promesse que personne ne peut tenir.

— De quoi as-tu peur ? demanda Phuong.

Et je pensai : « J'ai peur de la solitude, du club des journalistes, et de la chambre meublée. J'ai peur de Pyle. »

— Prépare-moi une fine à l'eau, lui demandai-je, en regardant le début de la lettre : *Cher Thomas*, et la fin : *Affectueusement, Hélène*, et j'attendis la boisson.

— Est-ce une lettre d'elle ?

— Oui.

Avant de me mettre à la lire, je commençai à me demander si, à la fin, je mentirais ou si je dirais la vérité à Phuong.

Cher Thomas,

Je n'ai pas été surprise de recevoir votre lettre et d'apprendre que vous ne vivez pas seul. Vous n'êtes pas homme à rester seul très longtemps, n'est-ce pas ? Vous ramassez des femmes comme votre veston ramasse de la poussière. Je sympathiserais peut-être plus avec votre situation, sans la certitude que si vous reveniez à Londres vous trouveriez facilement des consolations. Vous n'allez sûrement pas me croire, mais ce qui me fait réfléchir et m'empêche de vous câbler un « non » tout net, c'est la pensée de la pauvre fille : les femmes donnent tellement plus d'elles-mêmes que les hommes !

Je bus une gorgée d'alcool. Je ne savais pas que les blessures sexuelles restent ouvertes au bout de tant d'années. J'avais, sans y prendre garde, par un choix de mots maladroit, fait saigner les siennes de nouveau. Qui pourrait lui reprocher de fouiller dans mes propres cicatrices, en retour ? Quand nous souffrons, nous cherchons à blesser.

— Est-ce mauvais ? demanda Phuong.

— Un peu dur, répondis-je, mais elle a le droit...

Je poursuivis ma lecture.

... J'ai toujours cru que vous aimiez Anne plus qu'aucune d'entre nous, jusqu'au moment où vous avez plié bagage et disparu. Et voici que vous semblez vous disposer à quitter une autre femme, car je sens au ton de votre lettre que vous ne vous attendez pas vraiment à une réponse « favorable ». J'aurai fait tout mon possible, voilà, n'est-ce pas, ce que vous pensez. Si je vous avais câblé : « oui », qu'auriez-vous décidé ? L'auriez-vous vraiment épousée, elle ? (je suis forcée d'écrire « elle » parce que vous ne me dites pas son nom). Je suppose que vous vieillissez comme tout le monde et que vous redoutez la solitude. Je me sens très seule moi-même par moments. J'ai entendu dire qu'Anne a trouvé un nouveau compagnon. Mais vous l'avez quittée à temps.

Elle avait trouvé avec précision la blessure à peine fermée. Je bus une autre gorgée. « Débrider une plaie », l'expression me traversa l'esprit.

— Laisse-moi te préparer une pipe, dit Phuong.

— N'importe quoi, n'importe quoi.

... Pour cette raison, entre autres, mon devoir est de vous dire : Non. (Il est inutile d'invoquer les raisons

religieuses parce que vous ne les comprenez pas, et que vous n'y croyez pas.) Le fait d'être son mari ne vous empêche pas d'abandonner une femme, n'est-ce pas ? Cela ne fait que retarder votre départ et ce serait dans le cas actuel d'autant plus déloyal envers cette jeune femme, si vous viviez avec elle aussi longtemps que vous avez vécu avec moi. Vous l'amèneriez en Angleterre où elle se sentirait étrangère et perdue, et quand vous la quitteriez, comme elle serait cruellement délaissée ! Je suppose qu'elle ne sait même pas se servir d'un couteau et d'une fourchette. Je suis dure en ce moment, parce que je pense à son bien, plus que je ne pense au vôtre. Mais, cher Thomas, je pense aussi au vôtre.

J'avais la nausée, physiquement. Il y avait longtemps que je n'avais reçu de lettre de ma femme. Je l'avais obligée à m'écrire et je sentais sa souffrance poindre à toutes les lignes. Sa douleur frappait ma douleur : nous avions retrouvé la vieille routine des tortures réciproques. Si seulement il était possible de s'aimer sans se faire souffrir. La fidélité ne suffit pas. J'avais été fidèle à Anne et pourtant je lui avais fait du mal. Le mal qu'on s'inflige est dans l'acte de possession : nous sommes trop petits, de corps et d'esprit, pour posséder un autre être sans en ressentir de l'orgueil, ou lui appartenir sans humiliation. D'un côté, j'étais content que ma femme m'eût fustigé de nouveau, j'avais oublié trop longtemps sa souffrance et c'était la seule forme de compensation que je pouvais lui en donner. Malheureusement, dans tout conflit, sont toujours impliqués des innocents. Toujours, partout, une voix gémissante monte d'une tour.

Phuong alluma la petite lampe.

— Est-ce qu'elle te laisse m'épouser ?

— Je ne sais pas encore.

— Elle ne le dit pas ?

— Si elle le dit, elle y met beaucoup de lenteur.

« Comme tu te vantes volontiers, pensai-je, d'être *dégagé*, reporter plutôt qu'éditorialiste, et de quel gâchis tu es responsable, dans les coulisses ! » L'autre façon de faire la guerre est plus innocente que celle-ci. On fait moins de dégâts avec un mortier.

Si j'agissais contre ma conviction la plus profonde, et si je disais : oui, serait-ce même agir dans votre intérêt ? Vous m'écrivez que vous êtes rappelé en Angleterre et je me rends compte que vous allez exécrer cette vie et faire n'importe quoi pour la rendre plus facile. Je vous vois très bien vous marier après avoir bu un verre de trop. La première fois, nous avons sincèrement essayé – vous autant que moi – et nous avons échoué. On n'essaie pas avec la même énergie la seconde fois. Vous dites que ce serait la fin de votre vie si vous perdiez cette femme. Vous avez employé jadis en m'écrivant la même phrase, exactement. Je pourrais vous montrer la lettre, je l'ai gardée... et je suppose que vous en avez écrit autant à Anne. Vous dites que nous avons constamment essayé de nous dire la vérité, mais, Thomas, votre vérité est toujours si momentanée ! À quoi sert de discuter avec vous, ou d'essayer de vous faire entendre raison ? Il est plus facile d'agir comme ma foi m'ordonne d'agir... déraisonnablement, allez-vous penser, et de vous écrire ces simples mots : Je ne crois pas au divorce, ma religion l'interdit, la réponse est donc : non, Thomas, non.

Il y avait encore une demi-page, que je ne lus pas, avant la formule finale : *Affectueusement, Hélène*. Je crois qu'elle m'y donnait des nouvelles du temps qu'il faisait et aussi d'une vieille tante à moi que j'aimais bien.

Je n'avais pas le droit de me plaindre, et je m'étais attendu à cette réponse. Elle contenait une grande part de vérité. J'aurais seulement souhaité que ma femme n'eût pas pensé tout haut si longuement, puisque ces pensées lui faisaient autant de mal qu'à moi.

— Elle dit non ?

Je n'hésitai presque pas avant de répondre :

— Elle n'a pas encore pris de décision. Il reste un espoir.

Phuong éclata de rire.

— Tu as dit : espoir, en faisant une si longue figure !

Elle était étendue à mes pieds comme un lévrier sur le tombeau d'un croisé, et elle pétrissait l'opium tandis quand je me demandais ce que j'allais dire à Pyle. Quand j'eus fumé quatre pipes, je me sentis mieux préparé à affronter l'avenir, et je racontai à Phuong qu'il y avait un réel espoir, que ma femme consultait un avocat. D'un jour à l'autre, j'allais recevoir le télégramme qui me libérerait.

— Ça n'aurait pas tant d'importance. Tu pourrais placer de l'argent en mon nom.

Je pouvais entendre la voix de sa sœur parler par sa bouche.

— Je n'ai pas d'économies, dis-je, je ne peux pas surenchérir sur Pyle.

— Ne te tourmente pas. Il arrivera peut-être quelque chose. Il y a toujours moyen de s'arranger. Ma sœur dit que tu pourrais prendre une assurance sur la vie.

Et j'admirais avec quel réalisme elle s'abstenait de minimiser l'importance de l'argent et de me faire de grandes déclarations d'amour équivalant à des promesses. Je me demandai comment, au cours des années, Pyle supporterait cette dureté foncière, car Pyle était un romantique, mais dans son cas il y aurait, naturellement, une solide donation, et cette dureté pourrait céder comme s'assouplit un muscle inemployé quand la nécessité de le raidir a disparu. Les riches gagnent sur les deux tableaux.

Ce soir-là, avant la fermeture des magasins de la rue Catinat, Phuong acheta trois nouvelles écharpes de soie. Elle s'assit sur le lit et les étala pour me les montrer, avec des cris de joie à la vue de leurs brillantes couleurs, et sa voix chantante emplissait un grand vide ; ensuite, elle les replia soigneusement et les rangea avec une douzaine d'autres dans son tiroir : on aurait dit qu'elle établissait les bases d'un modeste patrimoine. Et moi, je posai les bases branlantes du mien en écrivant une lettre à Pyle, ce soir-là même, dans la lucidité et la prévoyance fragiles de l'opium. Voici ce que je lui écrivis : j'ai retrouvé la lettre l'autre jour entre deux feuillets du *Rôle de l'Occident* de York Harding. Sans doute lisait-il ce livre quand ma lettre arriva. Peut-être s'en était-il servi pour marquer sa page et n'avait-il pas lu plus avant.

J'écrivis : *Cher Pyle*, et ce fut la seule fois que je fus tenté de l'appeler « cher Alden », car après tout c'était une lettre intéressée de quelque importance et comme toutes les lettres intéressées, elle allait contenir au moins un mensonge.

Cher Pyle, je voulais vous écrire de l'hôpital pour vous remercier au sujet de l'autre nuit. Vous m'avez certainement épargné une fin désagréable. Je me déplace maintenant, avec le secours d'une canne. Je m'étais cassé, paraît-il, exactement au bon endroit et l'âge n'a pas encore atteint mes os pour les rendre friables. Il faut que nous célébrions ça par une petite fête un de ces jours. (Ma plume trébucha sur le mot « fête », puis comme une fourmi devant un obstacle, elle le contourna.) J'ai une autre chose à célébrer et je sais que vous vous en réjouirez aussi, car vous m'avez toujours dit que l'intérêt de Phuong était notre souci commun, à vous et à moi. À mon retour, j'ai trouvé une lettre de ma femme arrivée en mon absence, et elle accepte plus ou moins le divorce. Ne vous inquiétez donc plus du sort de Phuong...

C'était une phrase cruelle, mais je n'en sentis la cruauté qu'en relisant la lettre et il était trop tard pour la modifier. Si je voulais effacer ces mots, autant déchirer toute la lettre.

— Quelle écharpe préfères-tu ? demanda Phuong. J'adore la jaune.

— Oui. La jaune. Descends jusqu'à l'hôtel et mets cette lettre à la poste, veux-tu ?

Elle regarda l'adresse.

— Je pourrais la porter jusqu'à la légation. Ça économiserait un timbre.

— J'aimerais mieux que tu la mettes à la poste.

Ensuite, je me laissai aller en arrière et, dans la détente que procure l'opium, je pensai : « Au moins, elle ne me quittera pas avant mon départ et qui sait ? D'une façon ou d'une autre, demain, après quelques pipes, peut-être trouverai-je le moyen de rester. »

2

La routine quotidienne continue : bien des hommes lui doivent de n'avoir pas perdu la raison. De même que lors d'un raid aérien il était impossible d'avoir peur tout le temps, de même sous le bombardement des tâches habituelles, des rencontres de hasard, des angoisses impersonnelles, l'on oublie pendant des heures de suite sa terreur personnelle. La pensée qu'avril approchait, que je quittais l'Indochine, l'impossibilité d'imaginer clairement un avenir sans Phuong, subissaient l'effet des télégrammes quotidiens, des communiqués de la presse vietnamienne, et des difficultés causées par la maladie de mon assistant, un Indien du nom de Dominguez (sa famille était venue de Goa, via Bombay) ; il suivait à ma place les conférences de presse les plus importantes, tendait aux diverses nuances de la rumeur publique et des commérages privés une oreille sensible, et portait mes messages câblés au bureau des postes ou à la censure. Avec l'aide des trafiquants indiens, particulièrement dans le Nord, à Haïphong, Nam Dinh et Hanoï, il avait son propre service secret réservé à moi seul et je crois qu'il connaissait avec plus de précision que le haut commandement français la position des bataillons du Viet-minh à l'intérieur du Delta. Et comme nous n'avions jamais employé nos informations avant qu'elles se transforment en « nouvelles » et que nous ne communiquions rien aux services de renseignements français, Dominguez s'était assuré la confiance et l'amitié de plusieurs agents du Viet-minh cachés à Saigon-Cholon. Le fait qu'il était, malgré son nom, un Asiatique, y contribuait certainement.

J'aimais bien Dominguez : alors que d'autres étalent leur orgueil à la surface, comme une maladie de peau, sensible au moindre toucher, le sien était profondément caché et réduit aux plus petites dimensions possibles, je crois, pour un être humain quelconque. Dans les contacts quotidiens qu'on avait avec lui, tout ce qu'on rencontrait était de la douceur, de l'humilité et un amour absolu de la vérité. Il aurait fallu être marié avec lui pour découvrir l'orgueil. Peut-être la vérité et l'humilité vont-elles ensemble, tant de mensonges viennent de notre vanité : dans monméticr, la vanité du reporter, le désir de faire passer une histoire plus réussie que celle du confrère... et c'était Dominguez qui m'enseignait l'indifférence, qui m'aidait à supporter tous ces télégrammes du journal, demandant pourquoi je n'avais pas assuré le récit de tel ou tel incident, ou transmis le détail découvert par je ne sais qui, et que je savais être faux.

Depuis qu'il était malade, je mesurais l'étendue de ce que je lui devais : n'allait-il pas jusqu'à veiller à ce que ma voiture contînt son plein d'essence et pourtant jamais, ni par un mot, ni par un regard, il n'avait empiété sur ma vie privée. Je crois qu'il était catholique, mais je n'en avais aucune preuve, hormis son nom et son pays d'origine ; pour tout ce que m'en avaient appris nos conversations, il aurait pu adorer Krishna ou faire des pèlerinages annuels, dans un cadre de fil de fer barbelé, jusqu'aux Grottes Batu.[1] Et voilà que sa maladie arrivait comme un

1. Lieu de pèlerinage pour les hindous, en Malaisie.

grand bienfait, pour m'arracher à la torture de mon angoisse intime. C'était maintenant moi qui devais assister aux ennuyeuses conférences de presse et gagner clopin-clopant ma table au Continental pour bavarder avec mes collègues ; mais je savais moins bien que Dominguez distinguer la vérité du mensonge, aussi avais-je pris l'habitude d'aller chez lui le soir pour discuter des rumeurs que j'avais entendues. Parfois, j'y trouvais l'un ou l'autre de ses amis indiens, assis au chevet de l'étroit lit de fer dans le logement dont Dominguez occupait une partie, donnant sur une des plus pauvres rues adjacentes au boulevard Gallieni. Il était assis, le dos droit, dans son lit, les pieds ramenés sous lui, de sorte qu'on avait moins l'impression de rendre visite à un malade que d'être reçu par un rajah ou un prêtre. Quand la fièvre montait, son visage ruisselait de sueur, mais il ne perdait jamais sa lucidité d'esprit. On aurait dit que sa maladie affectait le corps de quelqu'un d'autre. Sa logeuse veillait à ce qu'il y eût toujours un pot de limonade fraîche à portée de sa main, mais je ne le vis jamais boire ; sans doute eût-ce été l'aveu que cette soif était sa propre soif et que le corps qui souffrait était le sien.

Parmi tous les jours où je lui rendis visite à cette époque je me souviens d'un en particulier. J'avais renoncé à lui demander comment il se sentait, de peur que ma question ne lui fît l'effet d'un reproche ; c'était toujours lui qui s'inquiétait de ma santé avec beaucoup de sollicitude et qui s'excusait pour toutes les marches d'escalier que j'avais dû gravir.

— J'aimerais vous faire rencontrer un de mes amis, dit-il ce jour-là, il a une histoire à vous raconter qui vous intéressera.

— Vraiment ?

— J'ai noté son nom, parce que je sais que vous avez quelque difficulté à vous rappeler les noms chinois. Nous ne devons pas nous en servir, bien entendu. Il a, sur le quai Mytho, un entrepôt de ferraille.

— Important ?
— Ça pourrait l'être.
— Pouvez-vous m'en donner une idée ?
— J'aimerais mieux que vous teniez le renseignement directement de lui. Il y a là quelque chose d'étrange, que je ne comprends pas.

La sueur ruisselait sur sa figure, mais il la laissait couler comme si chaque goutte en eût été vivante et sacrée... (Il était resté assez hindou pour éviter de porter atteinte à la vie d'une mouche.)

— Que savez-vous au juste sur votre ami Pyle ? ajouta-t-il.
— Pas grand-chose. Nos chemins se sont croisés, voilà tout. Je ne l'ai pas revu depuis Tanyin.
— Quel est son emploi ?
— Mission économique, mais cela couvre une multitude de méfaits. Je crois qu'il s'intéresse aux industries locales... en connexion, je suppose, avec quelque entreprise commerciale américaine. Je n'aime pas la façon dont ils entraînent les Français à poursuivre la lutte, tout en soignant leurs propres intérêts.
— Je l'ai entendu parler l'autre jour dans une réception offerte par la légation à des membres du Congrès en visite. C'est lui qui était chargé de les renseigner.
— Dieu protège le Congrès, dis-je. Il est dans ce pays depuis moins de six mois.
— Il parlait de vieilles puissances colonialistes : l'Angleterre et la France, et de l'impossibilité où elles sont, l'une et l'autre, de gagner la confiance des Asiatiques. C'est là que l'Amérique intervient parce qu'elle a les mains propres.
— Honolulu, Porto Rico, dis-je, et le Nouveau-Mexique.
— Alors, quelqu'un lui a posé la question classique sur les chances que le gouvernement d'ici avait de battre le Viet-minh, et il a répondu qu'une Troisième Force pourrait y parvenir. Il était toujours possible de trouver une Troisième Force, exempte de communisme et non entachée de

colonialisme, il a appelé ça une démocratie nationale, il n'y avait qu'à lui donner un chef, et à le protéger contre les vieilles puissances colonialistes.

— Tout cela est dans York Harding, dis-je. Il l'avait lu avant de quitter les États-Unis. Il m'en parlait la semaine même de son arrivée et il n'a rien appris depuis.

— Il a peut-être trouvé son chef, dit Dominguez.

— Serait-ce grave ?

— Je ne sais pas. Je ne sais pas ce qu'il fait. Mais vous, allez bavarder avec mon ami du quai Mytho.

Je rentrai rue Catinat pour laisser un message à Phuong, puis je me fis conduire au-delà du port, dans le soleil couchant. Tables et chaises étaient installées dehors sur le quai, à proximité des steamers et des grands bâtiments de guerre gris, et les petites cuisines roulantes chauffaient et bouillonnaient. Le long du boulevard de la Somme, les coiffeurs travaillaient sous les arbres et les diseurs de bonne aventure accroupis contre les murs étalaient leurs cartes sales. À Cholon, vous arrivez dans une ville différente, où l'activité commence à régner à la tombée de la nuit au lieu de diminuer peu à peu. On avait l'impression de pénétrer dans un décor de pantomime : les longues enseignes chinoises verticales, les vives lumières, et la foule des figurants vous entraînaient dans les coulisses où tout devenait brusquement plus sombre et plus paisible. Une de ces sorties entre les portants me ramena sur le quai, près d'un enchevêtrement de sampans, à l'endroit où les entrepôts béaient dans l'ombre et dans une complète solitude.

Je trouvai avec difficulté et presque par hasard l'endroit que je cherchais ; la barrière du comptoir était ouverte et je pouvais apercevoir les formes étranges, à la Picasso, d'un tas de ferraille éclairé par une vieille lampe : lits de fer, baignoires, tiroirs à cendres, capots de voitures, avec des traînées de leurs anciennes couleurs qui accrochaient la lumière. Je descendis une étroite piste creusée dans l'amoncellement de ferraille et j'appelai

M. Chou, mais personne ne me répondit. Au fond de l'échoppe, un escalier montait vers ce que je devinai être la maison de M. Chou. Mes renseignements m'avaient évidemment conduit à la porte de derrière et je supposai que Dominguez avait ses raisons. L'escalier lui-même était bordé de vieille ferraille et d'objets au rebut, qui pourraient servir un jour dans ce nid de pie qu'était la maison. Au palier, je trouvai une grande pièce où tous les membres d'une famille se tenaient assis ou couchés, donnant l'impression d'un campement qui pourrait être levé d'une minute à l'autre. De petites tasses à thé étaient posées un peu partout, au milieu d'une multitude de cartons pleins d'objets impossibles à identifier et de valises en fibre, toutes bouclées. Il y avait une vieille dame assise sur un grand lit, deux petits garçons et deux fillettes, un bébé qui se traînait sur le plancher, trois femmes presque mûres en vieux pantalons et blouses brunes de paysan, et, dans un coin, deux vieillards portant des tuniques de soie bleue de mandarin, qui jouaient au mahjong ; ils restèrent indifférents à mon entrée, ils jouaient rapidement, reconnaissant chaque pièce au toucher, et le bruit qu'ils faisaient évoquait le roulement des galets sur la plage, lorsqu'une vague se retire. Personne ne prêta plus d'attention à moi que ces deux vieux, sauf un chat qui bondit dans une boîte en carton et un chien maigre qui vint me renifler, puis s'éloigna.

— Monsieur Chou ? demandai-je.

Deux femmes secouèrent la tête, l'indifférence continua de régner, mais une des femmes alla rincer une tasse qu'elle emplit de thé, contenu dans une théière qui était tenue au chaud dans sa boîte capitonnée de soie. Je m'assis sur le lit à côté de la vieille dame et une jeune fille m'apporta la tasse : on eût dit que j'avais été absorbé dans la communauté, avec le chien et le chat, qui étaient peut-être arrivés, la première fois, d'une manière aussi fortuite que j'étais venu moi-même. Le bébé se traîna jusqu'à mes chaussures et se mit à en tirer les lacets sans que personne lui fît le moindre reproche : en Orient, on ne gronde pas les enfants. Trois calendriers publicitaires suspendus au mur représentaient chacun une jeune fille aux joues roses et brillantes en pimpant costume chinois. Un grand miroir portait, par je ne sais quel mystère, l'inscription : *Café de la Paix* ; il avait dû être ramassé accidentellement avec les rebuts de ferraille. J'avais le sentiment d'en faire partie moi aussi.

Je bus lentement l'âcre thé vert, en faisant passer d'une de mes paumes à l'autre la tasse sans anse qui me brûlait les doigts, tout en me demandant combien de temps je devais prolonger ma visite. Je fis une tentative, en français, auprès de la famille et je demandai si l'on pensait que M. Chou allait bientôt rentrer, mais je n'obtins pas de réponse. Ils n'avaient sans doute pas compris. Quand ma tasse était vide, quelqu'un venait la remplir, puis retournait à ses occupations : une femme à son repassage, une jeune fille à sa couture, les deux petits garçons à leurs leçons, la vieille dame à la contemplation de ses pieds, les minuscules pieds estropiés de l'ancienne Chine, et le chien à la surveillance attentive du chat bien installé sur les boîtes en carton.

Je commençai à apprécier le dur travail que Dominguez fournissait pour un maigre salaire.

Un Chinois, au corps émacié à l'extrême, entra dans la pièce ; il semblait n'occuper aucun espace ; on eût dit la mince feuille de papier parcheminé qui divise les biscuits dans une boîte en fer-blanc. Sa seule épaisseur lui venait de son pyjama de flanelle rayée.

— Monsieur Chou ? demandai-je.

Il me regarda de l'œil indifférent du fumeur : joues creuses, poignets de bébé et bras de fillette, il avait fallu bien des années et bien des pipes pour l'amenuiser à ce point.

— Mon ami, M. Dominguez, m'a dit que vous aviez quelque chose à me montrer, dis-je. Vous êtes bien M. Chou ?

Oh ! oui, il était M. Chou, m'assura-t-il, en me renvoyant à mon siège d'un geste courtois de la main. Je voyais nettement que l'objet de ma visite s'était perdu quelque part dans les corridors enfumés de son crâne. Accepterais-je une tasse de thé ? Il était très honoré par ma visite. Une nouvelle tasse fut rincée, vidée sur le plancher, puis remplie et placée entre mes mains comme un charbon ardent : l'épreuve du thé. Je fis une remarque au sujet de sa nombreuse famille.

Il parcourut la chambre du regard, légèrement surpris, comme si cet aspect particulier ne l'avait jamais frappé.

— Ma mère, dit-il, ma femme, ma sœur, mon oncle, mon frère, mes enfants, les enfants de ma tante.

Le bébé se laissa rouler à mes pieds et resta sur le dos, agitant les jambes en gazouillant. Je me demandai à qui il appartenait. Personne ne me paraissait assez jeune... ou assez vieux, pour en être l'auteur.

— M. Dominguez m'a averti que c'était important, dis-je.

— Ah ! M. Dominguez. J'espère que M. Dominguez va bien.

— Il vient d'avoir les fièvres.

— Cette époque de l'année est malsaine.

Je n'étais pas du tout convaincu qu'il se rappelât même qui était Dominguez. Il se mit à tousser, et sous sa veste de pyjama où deux boutons manquaient, la peau tendue vibra comme un tambour indigène.

— Vous-même, vous devriez consulter un docteur, dis-je.

Un nouveau venu se joignit à nous. Je ne l'avais pas entendu entrer. C'était un jeune homme vêtu à l'européenne, et tiré à quatre épingles.

— M. Chou n'a qu'un poumon, dit-il en anglais.

— Toutes mes condoléances.

— Il fume cent cinquante pipes par jour.

— Cela me paraît beaucoup.

— Le docteur dit que cela ne peut que lui nuire, mais M. Chou est beaucoup plus heureux lorsqu'il fume.

Je fis entendre un grognement de sympathie.

— Si je puis me présenter moi-même, je suis le directeur de M. Chou.

— Mon nom est Fowler. Je viens de la part de M. Dominguez. Il m'a dit que M. Chou avait à m'entretenir de quelque chose.

— La mémoire de M. Chou est très affaiblie. Voulez-vous une tasse de thé ?

— Merci, j'en ai déjà bu trois tasses.

On aurait dit une question et une réponse dans un manuel de conversation.

Le directeur de M. Chou me prit des mains la tasse qu'il tendit à l'une des jeunes filles. Elle en vida le fond sur le plancher et la remplit une fois de plus.

— Il n'est pas assez fort, dit-il.

Il la prit, goûta le thé lui-même, rinça soigneusement la tasse et la remplit en se servant d'une autre théière.

— Est-ce meilleur ? demanda-t-il.

— Bien meilleur.

M. Chou toussa pour s'éclaircir la gorge, mais ce ne fut que pour en tirer une immense expectoration qu'il dirigea vers un crachoir de fer-blanc décoré de fleurs roses. Le bébé continuait de se rouler dans les rinçures de thé ; le chat bondit de sa boîte en carton sur une valise.

— Peut-être vaut-il mieux que vous vous adressiez à moi, dit le jeune homme, mon nom est M. Heng.

— Si vous vouliez me dire...

— Nous allons descendre dans l'entrepôt, dit M. Heng. On y est plus tranquille.

Je tendis la main à M. Chou qui, d'un air égaré, la laissa reposer entre ses paumes ; son regard parcourut ensuite la chambre pleine de monde comme pour m'y trouver une place. Le roulement de galets diminua d'intensité à mesure que nous descendions l'escalier.

— Faites attention, dit M. Heng, la dernière marche manque.

Et il alluma une lampe de poche pour me guider.

Nous étions revenus parmi les lits-cages et les baignoires, et M. Heng me précéda dans une travée. Quand il eut fait environ vingt pas, il s'arrêta et dirigea la lumière de sa lampe sur un petit tambour de fer.

— Voyez-vous cela ? dit-il.

— Oui, pourquoi ?

Il le retourna et me montra la marque de fabrique : « Diolacton ».

— Ce mot n'a aucun sens pour moi.

— J'avais ici deux de ces tambours. Ils ont été ramassés, avec d'autres déchets, au garage de M. Phan Van-Muoi. Vous le connaissez ?

— Non, je ne crois pas.

— Sa femme est parente du général Thé.

— Je continue à ne pas comprendre...

— Savez-vous ce qu'est ceci ? demanda M. Heng en se baissant et en ramassant un long objet concave qui ressemblait à une tige de céleri et dont le chromage jeta un éclair à la lueur de sa lampe.

— Cela pourrait faire partie d'un accessoire de salle de bains.

— C'est un moule, dit M. Heng.

Il était évidemment de ces gens qui prennent à vous instruire un plaisir exaspérant. Il fit un temps d'arrêt pour me permettre d'avouer une fois de plus mon ignorance.

— Vous comprenez ce que je veux dire par un moule ?

— Oh ! oui, naturellement, mais je ne vois toujours pas...

— Ce moule a été fait aux USA. Diolacton est une raison commerciale américaine. Vous commencez à comprendre ?

— Franchement pas.

— Ce moule a un défaut, une paille. C'est pour cela qu'on l'a jeté. Mais il n'aurait pas dû être jeté avec la ferraille... le tambour non plus, d'ailleurs. Ce fut une erreur. Le directeur de M. Muoi est venu ici en personne. Je n'ai pas pu trouver le moule, mais je lui ai laissé reprendre l'autre tambour. J'ai prétendu que c'était tout ce que j'avais, et il m'a dit qu'il le lui fallait pour mettre en réserve des produits chimiques. Bien entendu, il n'a pas demandé le moule, il se serait trahi, mais il a cherché consciencieusement. M. Muoi est allé ensuite faire une visite à la légation américaine et a demandé à parler à M. Pyle.

— Vous semblez avoir un excellent service de renseignements, dis-je.

Je n'arrivais pas encore à comprendre à quoi il voulait en venir.

— J'ai demandé à M. Chou de se mettre en rapport avec M. Dominguez.

— Vous voulez dire que vous avez établi une sorte de lien entre Pyle et le général, dis-je. Il est très mince. Ce n'est même pas une nouvelle. Ici, les gens se prennent tous pour des agents secrets.

M. Heng frappa du talon le tambour de métal noir et l'écho de ce choc se répéta parmi les lits de fer.

— Monsieur Fowler, dit-il, vous êtes anglais. Vous êtes neutre. Vous nous avez tous traités avec impartialité. Vous êtes capable de sympathie pour ceux d'entre nous qui sont poussés par leurs convictions d'un côté ou de l'autre.

— Si vous voulez insinuer par là que vous êtes communiste, ou partisan du Viet-minh, ne vous gênez pas. Je n'en serai pas choqué. Je n'ai pas d'opinion politique.

— Si quelque chose de déplaisant se produisait ici, à Saigon, c'est nous qu'on accuserait. Mon comité souhaiterait que vous vous fassiez une opinion juste sur cette affaire. C'est pourquoi je vous ai montré ceci et ceci.

— Le Diolacton, qu'est-ce que c'est ? On dirait une marque de lait concentré.

— Ce n'est pas tout à fait étranger au lait. (M. Heng dirigea sa lampe vers l'intérieur du tambour. Un peu de poudre blanche restait collée au fond, comme une poussière.) C'est un des plastics américains, dit-il.

— J'avais entendu dire que Pyle importait du plastic pour fabriquer des jouets.

Je pris en main le moule et l'examinai. J'essayai en pensée de reconstituer sa forme. L'objet n'aurait pas cet aspect : c'était son reflet, à l'envers, dans un miroir.

— Pas pour fabriquer des jouets.

— On dirait un morceau de tringle.

— La forme est inhabituelle.

— Je ne vois pas comment cela pourrait servir.

M. Heng se détourna.

— Je désire seulement que vous vous rappeliez ce que vous avez vu, dit-il en rebroussant chemin dans l'ombre des tas de ferraille. Un jour, peut-être aurez-vous quelque raison d'écrire un article sur ce sujet. Mais ne parlez jamais du tambour que vous avez vu ici.

— Du moule non plus ? demandai-je.

— Particulièrement du moule.

3

Il n'est pas facile de se retrouver pour la première fois avec quelqu'un qui vous a, comme on dit, sauvé la vie. Je n'avais pas vu Pyle pendant que j'étais à l'hôpital de la Légion ; son absence et son silence, faciles à expliquer, car il était plus facilement arrêté par la timidité que je ne l'étais, me tourmentaient parfois déraisonnablement. Ainsi, le soir, avant que mon narcotique m'eût calmé les nerfs, il m'arrivait d'imaginer qu'il montait mon escalier, frappait à ma porte, dormait dans mon lit. J'étais injuste envers lui en cela, ajoutant de cette manière un sentiment de culpabilité à celui de mes obligations reconnues. Et puis, je suppose que j'avais des remords en pensant à ma lettre. (Quels lointains ancêtres avaient pu me léguer cette absurde conscience ? Ils en étaient sûrement exempts eux-mêmes lorsqu'ils violaient et tuaient dans leur monde paléolithique.)

Devrais-je inviter mon sauveteur à dîner ? me demandais-je parfois, ou suggérer simplement que nous nous retrouvions pour boire au bar du Continental ? C'est un problème mondain peu commun, qui dépend sans doute de la valeur qu'on attribue à sa propre vie. Un repas et une bouteille de vin ou un double whisky ? J'en avais été préoccupé un certain nombre de jours quand le problème fut résolu par Pyle lui-même, car il vint m'appeler à grands cris derrière ma porte fermée. Je passais à dormir un après-midi d'une chaleur accablante, épuisé par les efforts que j'avais faits pour tenir sur ma jambe malade toute la matinée, et je ne l'avais pas entendu frapper.

— Thomas, Thomas !

L'appel tomba au milieu d'un rêve où je marchais le long d'une route déserte en cherchant un tournant qui ne venait jamais. La route se déroulait comme un ruban enregistreur, avec une régularité qui ne se serait jamais modifiée, si cette voix n'était venue la briser : d'abord, voix gémissante issue d'une tour de guet, ensuite appel s'adressant à moi tout à coup personnellement :

— Thomas, Thomas !

En sourdine, je répondis :

— Allez-vous-en, Pyle. Ne m'approchez pas. Je ne veux pas être sauvé.

— Thomas !

Il heurtait du poing ma porte, mais je fis le mort, comme si j'étais revenu dans la rizière, et comme si Pyle avait été un ennemi.

Brusquement, je me rendis compte que le vacarme avait cessé ; quelqu'un parlait à voix basse dans le couloir et quelqu'un lui répondait. Les chuchotements sont toujours dangereux. Je ne pouvais reconnaître les voix. Je descendis prudemment de mon lit et, m'aidant de ma canne, j'allai jusqu'à la porte de la seconde pièce. Peut-être m'étais-je déplacé trop lentement, peut-être m'avaient-ils entendu, car le silence naquit derrière la porte. Le silence est comme une plante munie de vrilles : ses tiges semblèrent s'introduire sous la porte, s'allonger, et déployer leur feuillage dans la chambre où je me tenais. C'était un silence que je n'aimais pas. Je le déchiquetai en ouvrant la porte avec violence. Phuong m'apparut dans le couloir, les mains de Pyle posées sur ses épaules : leur attitude aurait pu indiquer qu'ils se séparaient après un baiser.

— Mais voyons, entrez, entrez, dis-je.

— Je n'ai pas pu me faire entendre, dit Pyle.

— Au début, je dormais, ensuite je ne voulais pas qu'on me dérange. Mais maintenant que je suis dérangé, entrez. Où l'as-tu pêché ? demandai-je à Phuong en français.

— Ici, dans le couloir, répondit-elle, j'ai entendu qu'il frappait, alors, je suis montée en courant pour lui ouvrir.

— Asseyez-vous, dis-je à Pyle. Voulez-vous une tasse de café ?

— Non, Thomas, et je ne veux pas m'asseoir.

— Moi si. Ma jambe se fatigue vite. Vous avez reçu ma lettre ?

— Oui. Je voudrais que vous ne l'ayez jamais écrite.

— Pourquoi ?

— Parce que c'est un ramassis de mensonges. J'avais confiance en vous, Thomas.

— Vous ne devriez avoir confiance en personne lorsqu'une femme est en jeu.

— Alors, ne vous fiez plus jamais à moi, à partir d'aujourd'hui. Je viendrai fouiller chez vous en votre absence. J'écrirai des lettres dont les enveloppes seront tapées à la machine. Je crois que je deviens adulte, Thomas. (Mais sa voix était mouillée de larmes et il paraissait plus jeune que jamais.) N'auriez-vous pas pu gagner sans tricher ?

— Non. Ceci est un exemple de duplicité européenne, Pyle. Il nous faut compenser notre manque de munitions. Mais j'ai dû commettre une maladresse. Comment avez-vous repéré le mensonge ?

— C'est sa sœur, dit-il. Elle travaille chez Joe, maintenant. Je la quitte à l'instant. Elle sait que vous avez été rappelé en Angleterre.

— Oh ! ça !... dis-je, soulagé, Phuong aussi est au courant.

— Et la lettre de votre femme ? Phuong est-elle aussi au courant de cela ? Sa sœur l'a vue.

— Comment ?

— Elle est venue chercher Phuong ici, hier, pendant que vous étiez sorti, et Phuong la lui a montrée. Vous ne pouvez pas lui en conter, à elle, elle lit l'anglais.

— Je vois.

Il n'y avait aucune raison d'en vouloir à personne. Il était trop évident que c'était moi le responsable. Phuong avait probablement montré la lettre par une sorte de forfanterie, elle ne l'avait pas fait par méfiance.

— Tu savais tout cela hier soir ? demandai-je à Phuong.

— Oui.

— J'ai remarqué que tu étais très silencieuse. (Je lui touchai le bras.) Tu aurais pu faire une scène comme une furie. Mais tu es Phuong, tu n'es pas une furie.

— Il fallait que je pense, dit-elle.

Et je me rappelai que m'étant éveillé dans la nuit, j'avais compris, à son souffle irrégulier, qu'elle ne dormait pas. J'avais tendu le bras vers elle en demandant : « *Le cauchemar ?* » Elle avait souffert de cauchemars à son arrivée rue Catinat, mais la nuit dernière elle avait secoué la tête, en signe de dénégation ; elle me tournait le dos, j'avais approché ma jambe de la sienne... premier geste de notre rituel intime. Même à ce moment-là je n'avais rien remarqué d'anormal.

— Pouvez-vous expliquer, Thomas, pourquoi...

— Il me semble que c'est assez évident. Je voulais la garder.

— Fût-ce contre ses intérêts ?

— Bien entendu.

— Ce n'est pas de l'amour.

— Peut-être n'est-ce pas votre façon d'aimer, Pyle.

— Je veux la protéger.

— Pas moi. Elle n'a pas besoin de protection. Je veux l'avoir près de moi. Je veux l'avoir dans mon lit.

— Contrainte et forcée ?

— Elle ne resterait nulle part, contrainte et forcée, Pyle.

— Elle ne peut plus vous aimer après ce que vous venez de faire.

Les idées de Pyle étaient aussi simples que cela. Je me retournai pour la chercher des yeux. Elle était passée dans la chambre et tirait le couvre-pieds pour effacer les plis à l'endroit où je m'étais couché : cela fait, elle prit un de ses livres d'images sur une étagère et s'assit sur le lit comme si notre conversation ne la concernait pas. Je savais quel recueil elle regardait : la vie de la reine racontée en illustrations. Je voyais, la tête en bas, le carrosse de gala se rendre à Westminster.

— Le mot « amour » appartient à l'Occident, dis-je. Nous l'employons pour des raisons sentimentales ou pour déguiser le fait que la pensée d'une femme nous obsède. Ces gens ne souffrent pas d'obsessions. Vous serez malheureux, Pyle, si vous n'y prenez pas garde.

— Je vous aurais roué de coups si vous n'aviez pas eu la jambe cassée.

— Vous devriez m'être reconnaissant, ainsi qu'à la sœur de Phuong, bien sûr. Vous pouvez aller de l'avant sans scrupules désormais, car vous êtes très scrupuleux, par certains côtés, n'est-ce pas, quand il n'est pas questions de plastic ?

— De plastic ?

— J'espère sincèrement que vous savez ce que vous faites, là. Oh ! je ne doute pas que vos intentions soient bonnes, elles le sont toujours. (Il avait un air perplexe et soupçonneux.) Je souhaiterais parfois que vous ayez quelques mauvaises intentions, cela vous ferait comprendre un peu mieux les êtres humains. Et ce que je dis s'applique aussi à votre pays, Pyle.

— Je veux lui assurer une vie convenable. Ici, cela... sent mauvais.

— Nous combattons cette odeur à l'aide de bâtonnets d'encens. Je suppose que vous allez lui offrir un réfrigérateur, sa propre voiture et le dernier modèle de télévision, et...

— Et des enfants, dit-il.

— De jeunes et brillants citoyens américains prêts à jurer qu'ils ne se livrent à aucune activité non américaine...

— Et vous, que lui donnerez-vous ? Vous n'alliez pas l'emmener en Angleterre.

— Non, je ne suis pas cruel à ce point-là. À moins de pouvoir lui assurer son billet de retour.

— Vous voulez la garder pour vous en servir à votre aise jusqu'à votre départ.

— C'est un être humain, Pyle. Elle est capable de décider elle-même.

— Sur la foi d'arguments truqués. D'ailleurs, c'est une enfant.

— Ce n'est pas une enfant. Elle est plus coriace que vous ne le serez jamais. Connaissez-vous le genre de vernis qui ne se laisse pas égratigner ? Voilà Phuong. Elle est capable de survivre à une douzaine d'hommes comme vous et moi. Elle vieillira, c'est tout. L'enfantement, la faim, le froid et les rhumatismes la feront souffrir, mais elle ne souffrira jamais comme nous, de pensées ou d'obsessions, rien ne l'égratignera. Elle se défera simplement peu à peu.

Mais tout en discourant, je regardais Phuong tourner la page (un portrait de famille avec la princesse Anne) et je savais que j'inventais un personnage, exactement comme Pyle l'avait fait. On ne connaît jamais un être humain ; pour ce que j'en savais, peut-être avait-elle aussi peur que nous tous, mais elle ne savait pas l'exprimer. Et je me rappelai cette première année de torture où j'avais mis une telle passion à essayer de la comprendre, où je l'avais suppliée de me dire ce qu'elle pensait, et où je l'avais effarouchée par la colère irraisonnée que me causaient ses silences. Mon désir lui-même m'avait servi d'arme comme si, en plongeant son épée dans les entrailles de sa victime, on pouvait tuer l'empire qu'elle a sur elle-même et la forcer à parler.

— Vous en avez assez dit, déclarai-je à Pyle. Vous savez tout ce qu'il y a à savoir. Partez, s'il vous plaît.

— Phuong, appela-t-il.

— Monsieur Pyle ? répondit-elle en levant les yeux, au milieu d'un examen minutieux du château de Windsor – et sa politesse guindée en un tel moment me parut comique et rassurante.

— Il vous a trompée.

— *Je ne comprends pas.*

— Oh ! allez-vous-en, dis-je. Retournez à votre Troisième Force, à York Harding et au Rôle de la Démocratie. Allez faire joujou avec votre plastic.

Je dus reconnaître un peu plus tard qu'il avait suivi mes instructions à la lettre.

Troisième partie

Chapitre premier

1

Près de deux semaines s'étaient écoulées depuis la mort de Pyle lorsque je revis Vigot. Je montais le boulevard Charner quand je l'entendis m'appeler du Club. C'était le restaurant que fréquentaient le plus volontiers, à cette époque, les membres de la Sûreté qui, par une sorte de défi lancé à ceux qui les haïssaient, déjeunaient et dînaient au rez-de-chaussée tandis que le grand public se restaurait aux étages supérieurs, hors de l'atteinte de tout partisan muni d'une grenade à main. J'allai le rejoindre et il commanda un vermouth-cassis.

— On le joue ?

— Si vous voulez.

Je sortis mes dés en vue d'une partie rituelle de 421. Comme ces trois chiffres ou même la seule vue de dés me rappellent les années de guerre en Indochine ! En quelque endroit du monde que je voie deux hommes lancer leurs dés, je me retrouve dans les rues de Hanoï, de Saigon, ou au milieu des ruines de Phat Diem bombardée ; je revois les parachutistes, protégés comme des chenilles par leurs étranges camouflages bigarrés, patrouillant le long des canaux ; j'entends le bruit des mortiers qui se rapproche, et il m'arrive de revoir un enfant mort.

— *Sans vaseline*, dit Vigot, qui abattit quatre, deux, un.

Il poussa vers moi la dernière allumette. Le jargon sexuel du jeu était commun à toute la Sûreté : peut-être avait-il été inventé par Vigot et adopté par ses jeunes subalternes qui toutefois n'avaient pas adopté son goût pour Pascal.

— *Sous-lieutenant.*

Chaque partie vous faisait monter d'un grade. Le jeu continuait jusqu'à ce que l'un des adversaires fût devenu capitaine ou commandant. Il gagna la seconde partie comme il avait gagné la première, et tout en comptant les allumettes, il me dit :

— Nous avons retrouvé le chien de Pyle.

— Ah ! oui ?

— Je suppose qu'il a refusé de quitter le corps de son maître. En tout cas, on lui avait coupé la gorge. Il était dans la boue à cinquante pas de Pyle. Il a pu se traîner jusque-là.

— Vous vous occupez toujours de l'affaire ?

— Le ministre américain nous harcèle. Nous n'avons pas autant d'ennuis, Dieu merci, quand un Français se fait tuer. Il faut dire que ce n'est pas un événement assez rare pour avoir du prix.

Nous jouâmes le partage des allumettes et la partie commença pour de bon. La rapidité avec laquelle Vigot abattait un 421 tenait de la magie. Le nombre de ses allumettes tomba à trois tandis que je continuais à marquer le plus petit nombre de points.

— *Nenette*, dit Vigot, en poussant vers moi deux allumettes.

Quand il se fut débarrassé de sa dernière allumette, il annonça : « *Capitaine !* » et j'appelai le garçon pour commander nos consommations.

— Vous faites-vous battre quelquefois ? demandai-je.

— Pas souvent. Voulez-vous que je vous donne votre revanche ?

— Une autre fois. Quel joueur vous pourriez être, Vigot ! Jouez-vous à d'autres jeux de hasard ?

Il sourit d'un air douloureux et je pensai, je ne sais pourquoi, à cette femme blonde qu'il avait épousée, et qui le trompait, disait-on, avec ses jeunes subalternes.

— Oh bien ! dit-il, il reste toujours le plus grand de tous.

— Le plus grand ?

— « *Pesons le gain et la perte*, cita Vigot, *en prenant croix que Dieu est. Estimons ces deux cas : si vous gagnez, vous gagnez tout, si vous perdez, vous ne perdez rien.* »

Je lui renvoyai Pascal du tac au tac : c'était le seul passage dont je me souvenais :

— « *Encore que celui qui prend croix et l'autre soient en pareille faute, ils sont tous deux en faute. Le juste est de ne point parier.* »

— « *Oui, mais il faut parier. Cela n'est pas volontaire, vous êtes embarqué.* » Vous n'agissez pas selon vos principes, Fowler. Vous êtes *engagé* comme nous le sommes tous.

— Pas en matière de religion.

— Je ne parlais pas de religion. En réalité, dit-il, je pensais au chien de Pyle.

— Oh !

— Vous rappelez-vous ce que vous m'avez dit... vous parliez de trouver des indices sur ses pattes en analysant la boue et ainsi de suite.

— Et vous avez répondu que vous n'étiez ni Maigret, ni Lecoq.

— Eh bien ! je ne m'en suis pas si mal tiré après tout. Quand il sortait, Pyle emmenait son chien avec lui, d'habitude, n'est-ce pas ?

— Je le suppose.

— C'était un animal trop précieux pour qu'il le laisse vagabonder tout seul ?

— Ç'aurait pu être imprudent. On mange les chows, à ce que je crois, dans ce pays. (Il s'apprêta à mettre les dés dans sa poche.) Mes dés, Vigot.

— Oh ! je vous demande pardon, je réfléchissais...

— Pourquoi m'avez-vous dit que j'étais *engagé* ?

— Quand avez-vous vu le chien de Pyle pour la dernière fois, Fowler ?

— Dieu sait. Je ne note pas mes rendez-vous avec les chiens.

— Quand rentrez-vous en Angleterre ?

— Je ne sais pas exactement.

Je préfère ne pas donner de renseignements à la police. Cela lui épargne des tracas.

— J'aimerais aller bavarder un moment avec vous ce soir. À dix heures ? À moins que vous ne soyez pas seul.

— J'enverrai Phuong au cinéma.

— Les choses sont tout à fait raccommodées... avec elle ?

— Oui.

— C'est bizarre. J'avais l'impression que vous étiez... malheureux.

— Il existe bien des raisons d'être malheureux, vous ne croyez pas ?

Et j'ajoutai brutalement :

— Vous êtes bien placé pour le savoir.

— Moi ?

— Vous n'êtes pas vous-même un homme très heureux.

— Oh ! je n'ai aucune raison de me plaindre. « *Une maison ruinée n'est pas misérable.* »

— Qu'est-ce que c'est ?

— Encore Pascal. C'est un argument en faveur de la fierté qu'il y a à souffrir. « *Un arbre ne se connaît pas misérable.* »

— Pourquoi êtes-vous entré dans la police, Vigot ?

— Il y a eu toute une série de facteurs. La nécessité de gagner ma vie, la curiosité de connaître les individus, et... ma foi, oui, le goût que m'inspirait Gaboriau.

— Peut-être auriez-vous dû devenir prêtre.

— Je n'avais pas lu... à cette époque, les auteurs qu'il fallait.

— Vous continuez à me soupçonner, n'est-ce pas, d'avoir joué un rôle ?

Il se leva et vida ce qui restait de son vermouth-cassis.

— J'aimerais bavarder avec vous, c'est tout.

Je pensai, lorsqu'il fut parti, qu'il m'avait regardé avec compassion, comme il eût regardé un prisonnier, dont la capture serait son œuvre, purger sa peine à perpétuité.

2

J'avais déjà subi mon châtiment. On aurait dit que Pyle, en quittant mon appartement, m'avait condamné à un certain nombre de semaines d'incertitude. Toutes les fois que je rentrais chez moi, je m'attendais à un désastre. Parfois, Phuong n'y était pas et je ne pouvais parvenir à me mettre au travail avant qu'elle fût rentrée, car je me demandais toujours si elle allait jamais rentrer. Je l'interrogeais sur ses allées et venues (en essayant d'empêcher l'angoisse ou la suspicion de se glisser dans ma voix) et elle répondait qu'elle arrivait « du marché » ou « des magasins », en me montrant un objet qui en témoignait (même sa promptitude à prouver ce qu'elle disait me paraissait, à l'époque, suspecte), et quelquefois c'était le cinéma : le talon de son billet était là pour le prouver ; et parfois aussi elle venait de chez sa sœur, et c'était là, pensais-je, qu'elle rencontrait Pyle. Durant cette période, je la possédais sauvagement, comme si je la détestais, mais ce que je détestais, c'était la pensée de l'avenir. La solitude emplissait mon lit, et la nuit c'est la solitude que je prenais dans mes bras. Phuong ne changeait pas : elle faisait ma cuisine, préparait mes pipes ; avec douceur et gentillesse, elle offrait son corps à mon plaisir (mais ce n'était plus un plaisir), et de même qu'au début j'avais voulu posséder son esprit, alors j'aurais voulu lire ses pensées, mais elles se cachaient sous un langage que je ne connaissais pas. Je ne voulais pas l'interroger. Je ne voulais pas la forcer à mentir (tant que nous ne nous étions pas menti ouvertement je pouvais avoir l'illusion que nous n'avions pas changé l'un envers l'autre), mais brusquement mon angoisse prit la parole à ma place, et je demandai :

— Quand as-tu vu Pyle pour la dernière fois ?

Elle hésita, ou peut-être essaya-t-elle vraiment de se rappeler :

— La dernière fois qu'il est venu ici, répondit-elle.

Je me mis – presque inconsciemment – à dénigrer tout ce qui était américain. Dans mes conversations je ne cessai d'insister sur la médiocrité de la littérature américaine, les scandales de la politique américaine, la conduite odieuse des enfants américains. On aurait dit que Phuong m'était enlevée non par un homme, mais par une nation. Rien de ce que faisait l'Amérique ne pouvait être bien. J'en arrivais à assommer tout le monde avec ma hantise de l'Amérique, même mes amis français, tout prêts à partager mon antipathie. Comme si j'avais été trahi... mais l'on ne saurait être trahi par un ennemi.

Ce fut exactement à cette époque que se produisit l'incident des bombes de bicyclettes. En rentrant du Bar Impérial, je trouvai l'appartement vide (était-elle au cinéma ou chez sa sœur ?). Une lettre avait été glissée sous la porte. Elle venait de Dominguez. Il s'excusait d'être encore malade et me demandait de me trouver devant le grand magasin qui faisait le coin du boulevard Charner, le lendemain matin vers dix heures et demie. Il m'écrivait à la requête de Mr Chou mais je soupçonnai, comme plus vraisemblable, que c'était Mr Heng qui réclamait ma présence à cet endroit.

Il se révéla que toute l'affaire était à peine digne d'un paragraphe, et qui plus est, d'un paragraphe humoristique. L'incident n'avait aucun rapport avec la guerre triste et pesante sévissant au Nord, avec les canaux de Phat Diem regorgeant de cadavres gris vieux de plusieurs jours, avec le martèlement des mortiers et l'éclair blafard du napalm. Il y avait environ un quart d'heure que j'attendais près d'une échoppe de fleurs, quand un camion plein de policiers, venant du quartier général de la Sûreté de la rue Catinat, s'arrêta dans un grand fracas de grincements de freins et de protestations stridentes des roues caoutchoutées. Les hommes en descendirent et coururent vers le magasin comme s'ils chargeaient la populace, mais il n'y avait pas de populace : il n'y avait qu'une rangée hérissée de bicyclettes. Tous les grands immeubles de Saigon sont entourés de cette clôture ; il n'y a pas une seule ville universitaire dans nos pays occidentaux qui compte autant de cyclistes. Avant que j'aie eu le temps de mettre au point mon appareil photographique, l'acte comique et inexplicable avait été accompli. Les agents de police s'étaient frayé un chemin jusqu'à la forêt de bicyclettes dont ils avaient ensuite émergé en portant trois machines au-dessus de leur tête et avaient traversé le boulevard pour les plonger dans la fontaine ornementale. Je n'avais pas pu saisir un seul de ces hommes au passage qu'ils étaient tous remontés dans leur car et descendaient à toute allure le boulevard Bonnard.

— « Opération Bicyclette », dit une voix, celle de Mr Heng.

— Que se passe-t-il ? demandai-je. Est-ce un exercice ? Dans quel but ?

— Attendez un petit moment, dit Mr Heng.

Quelques flâneurs commencèrent à s'approcher de la fontaine où une roue émergeait comme une bouée destinée à avertir les bateaux de la présence d'épaves engloutis. Un agent de police traversa la route en criant et en agitant les mains.

— Allons jeter un coup d'œil, dis-je.

— Il vaut mieux pas, dit Mr Heng, l'œil fixé sur sa montre.

Les aiguilles marquaient onze heures quatre minutes.

— Vous avancez, dis-je.

— Elle gagne toujours quelques minutes, dit-il.

Et, à ce moment, la fontaine fit explosion et inonda le pavé. Un morceau de la corniche ornementale vint frapper une vitre et les débris de verre retombèrent comme un brillant ruissellement d'eau. Personne n'était blessé. Nous nous ébrouâmes pour faire tomber l'eau et le verre qui couvraient nos vêtements. Une roue de bicyclette qui tournait sur la chaussée en ronflant comme une toupie, chancela et s'aplatit.

— Il doit être exactement onze heures, dit Mr Heng.

— Que diable... ?

— J'ai pensé que cela vous intéresserait, dit Mr Heng. J'espère que cela vous a intéressé.

— Allons boire.

— Non, je regrette, il faut que je retourne chez Mr Chou. Mais laissez-moi d'abord vous montrer quelque chose. (Il me conduisit jusqu'au garage des bicyclettes et ouvrit le cadenas qui fermait la chaîne de sa propre machine.) Regardez attentivement.

— Une Raleigh, dis-je.

— Non, regardez la pompe. Ne vous rappelle-t-elle rien ?

Il sourit avec condescendance de mon air mystifié, puis il partit. Il se retourna cependant pour me faire un signe de la main et se mit à pédaler vers Cholon et son entrepôt de ferraille.

À la Sûreté, où j'allai recueillir des informations, je compris ce qu'il avait voulu dire. Le moule que j'avais vu dans son magasin avait la forme semi-cylindrique d'une demi-pompe à bicyclette. Ce jour-là, dans tout Saigon, d'innocentes pompes à bicyclette s'étaient révélées être des bombes au plastic et avaient éclaté sur le coup de onze heures, sauf aux endroits où la police, agissant d'après certains renseignements (émanant, à ce que je supposais, de Mr Heng), avait pu devancer les explosions. Tout cela était très banal, dix explosions, six personnes légèrement blessées pour Dieu sait combien de bicyclettes. Mes confrères – à part le correspondant de l'*Extrême-Orient* qui parlait d'« attentat » – savaient qu'ils ne placeraient leur papier que s'ils tournaient la chose en ridicule. « Bombes de bicyclettes » faisait un bon titre. Tous accusèrent les communistes. Je fus le seul à écrire que c'était une manifestation inspirée par le général Thé, aussi mon récit fut-il modifié par la rédaction. Le général n'était pas d'actualité. On ne pouvait gâcher de la place pour parler de lui. J'envoyai, par l'intermédiaire de Dominguez, un message de regret à Mr Heng : j'avais fait de mon mieux. Mr Heng m'envoya une réponse verbale polie. Il me sembla alors qu'il s'était montré – lui ou son comité viet-minh – exagérément impressionnable. Personne n'en voulut sérieusement aux communistes de cette affaire. Même, si la chose avait été possible, cela leur aurait fait une réputation d'humoristes. « Que vont-ils encore imaginer ? » disait-on couramment dans les réceptions, et cet incident absurde était tout entier symbolisé dans ma pensée par la roue de bicyclette qui avait tournoyé joyeusement à la façon d'une toupie au milieu du boulevard. Je ne parlai même pas à Pyle de ce que j'avais appris sur ses relations avec le général. Qu'il fasse joujou avec son plastic : cela l'empêcherait peut-être de penser à Phuong. Tout de même, parce que je me trouvais dans le voisinage un soir, et parce que je n'avais rien de mieux à faire, je décidai de passer un moment dans le garage de Mr Muoi.

C'était, sur le boulevard de la Somme, un endroit de dimensions modestes et en grand désordre, assez semblable lui aussi à un entrepôt de ferraille. Une voiture était sur crics, au milieu du garage, le capot béant, et sa forme rappelait celle d'un animal préhistorique dans un musée de province que personne ne visite jamais. Je crois que tout le monde avait oublié qu'elle était là. Le sol était jonché de bouts de métal et de vieilles boîtes, les Vietnamiens ne se résignent pas à jeter quoi que ce soit, pas plus qu'un cuisinier chinois, dépeçant un canard pour en faire sept plats différents, n'en sacrifierait un ongle. Je me demandai par quelle erreur on s'était débarrassé si inconsidérément des tambours vides et du moule inutilisable : mais peut-être avaient-ils été volés par un employé désireux d'en tirer quelques piastres ou peut-être quelqu'un s'était-il laissé soudoyer par l'ingénieux Mr Heng.

Il semblait n'y avoir personne ; j'entrai donc. Peut-être, pensais-je, se sont-ils éloignés un moment par crainte d'une visite de la police. Mr Heng était peut-être en rapport avec la Sûreté, mais, même dans ce cas, il était peu probable que les gens de la police agissent. Il valait mieux, de leur point de vue, laisser croire au public que les bombes étaient d'origine communiste.

À part la voiture et les débris de ferraille éparpillés sur le sol cimenté, il n'y avait rien à voir. Il était difficile d'imaginer comment les bombes avaient pu être fabriquées chez Mr Muoi. Je n'avais que des notions très vagues sur la façon de transformer en plastic la poussière blanche que j'avais vue dans le tambour, mais l'opération était sûrement trop compliquée pour être exécutée à cet endroit, où même les deux pompes à essence qui se dressaient dans la rue semblaient pâtir du manque d'entretien. J'allai jusqu'au seuil et regardai dehors. Sous les arbres, au centre du boulevard, les barbiers étaient en plein travail : un bout de miroir cloué au tronc d'un arbre reflétait les rayons du soleil. Une jeune fille passa en trottinant, coiffée de son chapeau conique, portant deux paniers attachés à un balancier. Le diseur de bonne aventure, accroupi contre le mur de Simon Frères, avait trouvé un client : un vieillard portant une barbiche clairsemée comme celle de Ho Chi Minh, et qui surveillait d'un air impassible les antiques cartes à jouer que l'homme battait et retournait. Quel avenir pouvait-il posséder qui valût de dépenser une piastre ? Sur le boulevard de la Somme, les gens vivaient dehors ; ils savaient tout ce qu'on pouvait savoir sur Mr Muoi, mais il manquait à la police la clé qui eût ouvert leur confiance. À ce niveau de vie tout s'étale au grand jour, mais l'on ne peut descendre jusqu'à ce niveau comme on descend dans la rue. Je me rappelai les vieilles femmes occupées à papoter sur notre palier à côté des cabinets communs : elles aussi entendaient tout ce qui se disait, mais j'ignorais ce qu'elles savaient.

Retournant dans le garage, j'entrai dans le petit bureau du fond ; j'y trouvai l'habituel calendrier chinois publicitaire, une table à écrire encombrée : catalogues, un flacon de colle, une additionneuse, des attaches métalliques, une théière et trois tasses, une quantité de crayons non taillés, et, Dieu sait pourquoi, une carte postale neuve représentant la tour Eiffel. York Harding pouvait bien écrire en formules abstraites des livres sur la Troisième Force, mais voilà à quoi cela se réduisait : rien d'autre ! Il y avait une porte au milieu du mur de derrière ; fermée à clé, mais la clé était sur la table au milieu des crayons. J'ouvris la porte et passai de l'autre côté.

Je me trouvai dans un petit hangar à peu près de mêmes dimensions que le garage. Il contenait une unique machine qui, à première vue, me parut ressembler à une cage faite de tubes et de fils métalliques, meublée d'innombrables perchoirs destinés à un oiseau adulte et dépourvu d'ailes. On avait l'impression que tous les morceaux en étaient attachés ensemble à l'aide de vieux chiffons, mais ces chiffons servaient sans doute au nettoyage et ils étaient restés là quand Mr Muoi et ses aides avaient dû partir. Je trouvai un nom de fabricant – quelqu'un de Lyon – et un numéro de brevet (brevetant quoi ?). Je branchai le courant et la vieille machine se remit à vivre : les tiges de métal possédaient une volonté arrêtée, cet engin suranné avait l'air d'un vieillard qui rassemble ses ultimes forces vitales, cogne lourdement du poing, cogne lourdement... L'objet était encore une presse, bien qu'il fût, dans sa propre sphère, contemporain du nickelodéon, mais je suppose que dans ce pays où l'on ne gaspille jamais rien, où l'on peut s'attendre à ce que n'importe quoi surgisse un jour de l'oubli pour achever sa carrière (je me rappelle avoir vu ce très vieux film : *The Great Train Robbery* clignoter sur l'écran, et donner encore quelque joie aux spectateurs, dans une ruelle de Nam Dinh), cette presse pouvait encore servir.

Je l'examinai de plus près : on y voyait des traces de poudre blanche. Diolacton, pensai-je, quelque chose à voir avec le lait. Il n'y avait signe ni de tambour, ni de moule. Je retournai dans le bureau, puis dans le garage. J'étais tenté de donner en passant une tape amicale au garde-boue de la vieille voiture ; elle avait encore longtemps à attendre peut-être, mais elle aussi, un de ces jours... En ce moment, Mr Muoi et ses aides traversaient probablement les rizières, en route vers la montagne sacrée où le général Thé avait établi son quartier général. Lorsque, enfin, je poussai un cri d'appel : « Monsieur Muoi ! », je pus imaginer que j'étais loin du garage, du boulevard et des barbiers et que j'étais revenu dans ces rizières de la route de Tanyin qui m'avaient servi de refuge. « Monsieur Muoi ! » Je vis un homme tourner la tête au milieu des tiges de riz.

Je revins à pied et là-haut, sur le palier, les vieilles femmes laissèrent éclater leurs pépiements de haies, ce babil que je ne comprenais pas mieux que le bavardage des oiseaux. Phuong n'était pas à la maison. Seul un petit mot m'apprenait qu'elle était chez sa sœur. Je m'étendis sur le lit (je me fatiguais encore facilement) et je m'endormis. Quand je m'éveillai, je vis sur le cadran lumineux de mon réveil qu'il était une heure vingt-cinq et je tournai la tête, m'attendant à trouver Phuong endormie près de moi. Mais l'oreiller était intact. Elle avait dû changer la literie ce jour-là : il avait encore l'odeur froide du blanchissage. Je me levai et j'ouvris le tiroir où elle rangeait ses écharpes : elles n'y étaient plus. J'allai jusqu'à l'étagère : la vie de la famille royale en illustrations avait disparu. Phuong avait emporté son patrimoine.

Au moment même du choc, on souffre peu ; ma souffrance arriva vers trois heures du matin, quand je me mis à arranger la vie que, d'une façon ou d'une autre, il me faudrait vivre, et à classer mes souvenirs afin de les éliminer, je ne savais par quel moyen. Les souvenirs heureux sont les pires, aussi essayai-je de me rappeler les mauvais. J'avais l'habitude. Tout ceci, je l'avais déjà vécu. Je savais que j'étais capable de faire ce qui était nécessaire, si ce n'est que j'avais tellement vieilli !... J'eus le sentiment qu'il me restait peu de forces pour reconstruire.

3

Je me présentai à la légation d'Amérique et demandai à voir Pyle. Il fallait remplir une formule à la porte et la remettre à un policier militaire.

— Vous n'avez pas inscrit le « but de la visite », dit-il.

— Il saura.

— Alors, vous avez un rendez-vous ?

— Tournez-le de cette manière si vous voulez.

— Cela vous paraît probablement idiot, mais il faut que nous fassions très attention. Il y a de drôles d'individus qui se présentent, de temps en temps.

— C'est ce qu'on m'a dit.

Il changea son chewing-gum de joue et entra dans l'ascenseur. J'attendis. Je n'avais aucune idée de ce que j'allais dire à Pyle. C'était une grande scène que je n'avais pas encore jouée. Le policier revint.

— Je crois que vous pouvez monter, me dit-il de très mauvaise grâce, chambre 12 A. Premier étage.

Je vis en entrant dans la pièce que Pyle n'y était pas. Joe, l'attaché économique, était assis au bureau. Je ne pouvais toujours pas me rappeler son nom de famille. La sœur de Phuong me guettait de derrière sa machine à écrire. Était-ce du triomphe que je lisais dans ces yeux marron, si âpres au gain ?

— Entrez, entrez, Tom, cria Joe d'un ton de bonhomie tapageuse. Content de vous voir. Comment va votre jambe ? Nous n'avons pas souvent le plaisir de votre visite dans notre petite installation. Trouvez-vous une chaise. Dites-moi ce que vous pensez de la dernière offensive. J'ai vu Granger hier soir au Continental. Il va repartir dans le Nord. Ce garçon est plein de zèle. Là où il y a du nouveau, on est sûr de trouver Granger. Cigarette ? Servez-vous. Vous connaissez miss Hei ? Peux jamais me rappeler leurs noms... trop compliqués pour un vieux bonhomme comme moi. Je l'appelle : « Dit's donc, vous ! » Elle adore ça. Le colonialisme guindé, n'en faut plus. Quel est le dernier potin en ville, Tom ? Vous autres, on peut dire que vous avez l'oreille collée au sol pour écouter les bruits. Désolé pour votre jambe. Alden m'a raconté...

— Où est Pyle ?

— Oh ! Alden n'est pas au bureau ce matin. Pour moi, il est chez lui. Fait beaucoup de son boulot chez lui.

— Je sais ce qu'il fait chez lui.

— Plein de zèle, ce garçon. Hein ? qu'est-ce que vous venez de dire ?

— En tout cas, je suis sûr d'une chose qu'il fait chez lui.

— Je ne saisis pas, Tom. Joe l'endormi, voilà ce que je suis. Depuis toujours. Pour toujours.

— Il couche avec mon amie, la sœur de votre employée.

— Je ne sais pas de quoi vous parlez.

— Demandez à votre dactylo. C'est elle qui a tout arrangé. Pyle m'a pris mon amie.

— Écoutez, Fowler, je croyais que vous étiez venu ici pour affaires. Nous n'admettons pas les scènes dans ce bureau, vous savez.

— Je suis venu pour voir Pyle, mais je suppose qu'il se cache.

— Voyons, Fowler, vous êtes la dernière personne qui devrait dire une chose comme ça. Après ce que Alden a fait pour vous.

— Oh ! oui, oui, naturellement. Il m'a sauvé la vie, n'est-ce pas ? Mais je ne lui demandais pas de le faire.

— En exposant sa propre vie. Ce garçon a quelque chose dans le ventre.

— Je me fous de son ventre. C'est une autre partie de son corps qui m'intéresse pour le moment.

— Allons, pas d'allusions de ce genre, Fowler, devant une dame.

— La dame et moi, nous nous connaissons bien. Elle n'a pas pu parvenir à me soutirer une commission, mais son truc a marché avec Pyle. Bon, ça va. Je sais que je me conduis mal et je veux continuer à me mal conduire. C'est le genre de situation où les gens se conduisent toujours mal.

— Nous avons beaucoup de travail. Il y a un rapport sur la production de caoutchouc...

— Ne vous en faites pas, je pars. Mais si Pyle téléphone, dites-lui que je suis venu. Il pensera peut-être qu'il serait poli de me rendre ma visite. (Je me tournai vers la sœur de Phuong.) J'espère que vous ferez légaliser l'acte de donation par-devant notaire, en présence du consul d'Amérique et des scientistes chrétiens.

Je passai dans le couloir juste en face, il y avait une porte où je lus : « Messieurs ». J'entrai, verrouillai la porte et, assis, la tête appuyée contre le mur froid, je pleurai. Je n'avais pas pleuré jusque-là. Même leurs cabinets sont « climatisés », et l'air à température tempérée sécha bientôt mes larmes, de même qu'il sèche la salive de votre bouche et la semence de votre corps.

4

Je laissai les affaires en cours entre les mains de Dominguez et je partis pour le Nord. À Haïphong, j'avais des amis dans l'escadrille Gascogne, et je passais des heures au bar de l'aérodrome, ou à jouer aux boules sur l'allée de gravier, juste devant. Officiellement, j'étais au front : je rivalisais de zèle avec Granger, mais cela ne rapportait pas plus à mon journal qu'il n'en avait tiré de mon excursion à Phat Diem. Pourtant, si l'on écrit sur la guerre, l'amour-propre exige que de temps en temps l'on partage les risques.

Il n'était pas facile de les partager, fût-ce pendant des périodes de temps fort limitées, car des ordres venus de Hanoï m'interdisaient de prendre part à tout raid qui n'était pas « horizontal », ce qui dans cette guerre était aussi peu dangereux qu'un voyage en autobus, puisque nous volions au-dessus de la portée des mitrailleuses lourdes. Nous n'étions exposés qu'à une erreur du pilote ou à un défaut de la machine. Nous partions à heure fixe et nous rentrions à heure fixe ; le chargement de bombes tombait en diagonale, et la spirale de fumée montait du carrefour ou du pont, puis nous revenions tranquillement pour l'heure de l'apéritif, et nous faisions rouler nos boules ferrées sur le gravier.

Un matin, en ville, je buvais des cognacs-soda au mess avec un jeune officier qui brûlait du désir de voir la jetée de Southend, quand un ordre de mission arriva :

— Vous aimeriez venir ?

Je répondis oui. Même « horizontal », un raid serait une façon de tuer le temps et de tuer mes pensées. Dans la voiture qui nous transportait au terrain d'aviation il me dit :

— Cette fois, c'est un raid vertical.

— Je croyais qu'il m'était interdit...

— Tant que vous n'écrirez rien... Je vais vous montrer, près de la frontière chinoise, un bout de pays que vous n'avez sûrement pas encore vu. Près de Lai Chau.

— Je croyais que tout était paisible par là, aux mains des Français ?

— Ça l'était. Ils l'ont pris voilà deux jours. Nos parachutistes n'en sont qu'à quelques heures. Nous voulons forcer les Viets à tenir la tête cachée dans leurs trous jusqu'à ce que nous ayons repris le poste. Cela signifie qu'il faut piquer et mitrailler. Nous ne disposons que de deux appareils, dont l'un travaille en ce moment. Avez-vous jamais fait des bombardements en piqué ?

— Jamais.

— C'est assez désagréable quand on n'y est pas habitué.

L'escadrille Gascogne ne possédait que de petits bombardiers Maraudeurs B 26. Les Français les appelaient des « prostituées » parce que, à cause de leurs ailes très exiguës, ils n'avaient aucun moyen visible de sustentation. J'étais recroquevillé sur un petit siège de métal pas plus grand qu'une selle de bicyclette, les genoux appuyés contre le dos du navigateur. Nous remontâmes le fleuve Rouge, en prenant lentement de la hauteur et, à cette heure-là, le fleuve était vraiment rouge. C'était comme si nous avions reculé loin dans le temps, comme si nous le découvrions avec les yeux du géographe de jadis, qui lui avait donné son nom, à cette même heure, au moment où le soleil couchant l'emplit d'une rive à l'autre. Puis, nous fîmes un coude, à trois mille mètres, pour nous diriger vers la rivière Noire, vraiment noire, pleine d'ombres, hors de l'angle des rayons lumineux, et l'énorme et majestueux paysage de gorges, de rochers à pic et de jungle bascula brusquement et vint se dresser au-dessous de nous. On aurait pu lancer une escadrille sur ces étendues vertes et grises sans laisser plus de traces que quelques pièces de monnaie éparpillées dans un champ de blé. Au loin, devant nous, un petit avion se déplaçait comme un moucheron. Nous allions prendre sa suite.

Nous décrivîmcs deux cercles au-dessus de la tour et du village ceint de verdure, puis nous montâmes en spirale dans l'air éblouissant. Le pilote (qui s'appelait Trouin) tourna la tête vers moi et me cligna de l'œil : sur son volant, étaient les manettes qui commandaient la mitrailleuse et le lance-bombes ; quand nous nous mîmes en position pour plonger en piqué j'éprouvai cette sensation de relâchement du ventre qui accompagne toute aventure nouvelle : le premier bal, le premier grand dîner, le premier amour. Je me rappelais les montagnes russes de la Foire de Wembley et le moment où l'on arrive au sommet de la pente ; pas moyen d'y échapper, on est pris au piège de son aventure. J'eus tout juste le temps de lire trois mille mètres à l'altimètre, puis nous fonçâmes. J'avais perdu tout sens de la vue, je n'étais que sensations. Je fus plaqué de force contre le dos du navigateur ; on eût dit qu'un objet d'un poids énorme pesait sur ma poitrine. Je n'eus pas conscience de l'instant où les bombes furent lâchées. Ensuite, la mitrailleuse claqua, l'odeur de la cordite emplit la carlingue, et le poids quitta ma poitrine à mesure que nous remontions ; c'était maintenant mon estomac qui sombrait, tombant en vrille, comme un homme qui se suicide, vers le sol que nous venions de quitter. Pendant quarante secondes, Pyle n'avait pas existé : la solitude elle-même avait cessé d'exister. Tandis qu'en décrivant un grand arc nous reprenions de la hauteur, je vis par la fenêtre latérale la fumée se diriger sur moi. Avant la seconde plongée, j'eus peur... peur d'être humilié, peur de vomir sur le dos du pilote, peur que mes poumons vieillissants ne supportent plus la pression de l'air. Après le dixième piqué, je ne ressentais plus que de l'irritation, l'expérience avait duré trop longtemps, il était temps de rentrer. Et, de nouveau, nous montions en chandelle, afin de nous mettre hors de portée des mitrailleuses, nous décrivions notre grande courbe divergente et la colonne de fumée s'élevait. Le village était entouré de montagnes de tous côtés. Chaque fois, nous devions employer la même voie d'accès, par la même trouée. Impossible de varier notre attaque. Au moment où nous piquâmes pour la quatorzième fois, je pensai – maintenant que j'étais délivré de la crainte de me couvrir de honte : « Ils n'auraient qu'à mettre une pièce en batterie. » Nous levâmes une fois de plus le nez vers l'air où nous attendait la sécurité... peut-être n'avaient-ils pas un seul canon ? Les quarante minutes de patrouille m'avaient paru interminables : du moins m'avaient-elles épargné le malaise de mes pensées personnelles. Le soleil se couchait quand nous reprîmes le chemin du retour ; le moment du géographe était passé : la rivière Noire n'était plus noire et le fleuve Rouge roulait des flots d'or.

Nous piquâmes encore vers le fleuve en quittant la forêt aux arbres tordus et coupés de fissures, et, reprenant le vol horizontal au-dessus des rizières abandonnées, l'appareil pointa en flèche sur un petit sampan flottant sur l'eau jaune. Le canon envoya un seul obus traçant et le sampan vola en miettes qui tombèrent en une averse d'étincelles ; nous n'attendîmes même pas, afin de voir nos victimes se débattre pour essayer de survivre ; nous remontâmes et reprîmes la route de la base. Une fois de plus, je pensai, comme je l'avais pensé à Phat Diem en voyant l'enfant mort : « Je hais la guerre. » Il y avait eu quelque chose de si révoltant dans notre brusque choix fortuit d'une proie, nous passions par hasard, un seul coup avait suffi, personne n'avait riposté, nous étions repartis, ayant ajouté notre petite quote-part au nombre des morts de ce monde.

Je mis mes écouteurs pour entendre ce que me disait le capitaine Trouin.

— Nous allons faire un petit détour. Le coucher de soleil est merveilleux sur les « calcaires ». Il ne faut pas que vous manquiez cela, ajouta-t-il aimablement comme un hôte signale les beautés de son domaine.

Et pendant une centaine de kilomètres nous volâmes dans le sillage du soleil au-dessus de la baie d'Along. Son visage casqué de Martien se penchait d'un air pensif vers les bouquets d'arbres dorés qui passaient en bas parmi les grosses bosses et les arches de pierre poreuse, et la blessure du meurtre cessa de saigner.

5

Ce soir-là, le capitaine Trouin insista pour que je fusse son invité à la fumerie, bien qu'il refusât de fumer lui-même. Il aimait l'odeur de l'opium, disait-il, il aimait ce sentiment de paix à la fin de la journée, mais dans son métier la détente ne pouvait aller plus loin. Certains officiers fumaient, mais ils appartenaient à l'armée de terre. Lui, il avait besoin de tout son sommeil. Nous étions allongés dans une petite alcôve, au milieu d'une rangée d'alcôves semblables à celle d'un dortoir d'école, et le Chinois, propriétaire de la fumerie, préparait mes pipes. C'était la première fois que je fumais depuis que Phuong m'avait quitté. De l'autre côté de la pièce, une métisse aux longues jambes ravissantes, pelotonnée sur un lit après avoir fumé, lisait un magazine féminin sur papier glacé, et dans l'alcôve proche de la sienne deux Chinois d'âge mûr traitaient des affaires, en buvant du thé à petites gorgées, leurs pipes mises de côté.

— Le sampan de ce soir, dis-je, était-il nuisible ?

— Qui sait ? dit Trouin. Dans ces parties droites du fleuve, nous avons ordre de tirer sur tout ce qui est en vue.

Je fumai ma première pipe. J'essayai de chasser de ma pensée le souvenir des pipes que j'avais fumées chez moi.

— Le raid d'aujourd'hui, continua Trouin, ce n'est pas un des pires pour quelqu'un comme moi. Au-dessus du village, ils auraient pu nous descendre. Nous courions autant de risques qu'eux. Ce dont j'ai horreur, c'est du bombardement au napalm. De mille mètres, en toute sécurité. (Il fit un geste de découragement.) On voit la forêt prendre feu. Dieu sait ce qu'on verrait si l'on était au sol. Les pauvres diables sont brûlés vifs, les flammes déferlent sur eux en vagues. Le feu les imbibe comme de l'eau.

Il ajouta, plein de colère contre un monde entier qui ne comprenait pas :

— Ce n'est pas une guerre coloniale que je fais. Pensez-vous que je me battrais de cette manière pour les planteurs de Terre-Rouge ? J'aimerais mieux passer en conseil de guerre. Nous livrons toutes vos guerres, mais vous nous laissez la culpabilité.

— Ce sampan, dis-je.

— Oui, ce sampan aussi. (Il me regarda tendre la main vers ma seconde pipe.) Je vous envie vos moyens d'évasion.

— Vous ne savez pas de quoi je m'évade. Ce n'est pas de la guerre, elle ne me concerne pas. Je n'y suis pas mêlé.

— Vous y serez tous... un jour.

— Pas moi.

— Vous boitez encore.

— Ils avaient le droit de me tirer dessus, ils ne l'ont même pas fait. Ils démolissaient une tour. On devrait toujours se garer des démolisseurs. Même dans Piccadilly.

— Un de ces jours, il se produira quelque chose. Vous prendrez parti.

— Non. Je retourne en Angleterre.

— Cette photographie que vous m'aviez montrée...

— Oh ! je l'ai déchirée. Elle m'a quitté.

— Tous mes regrets.

— C'est comme ça que les choses se passent. On quitte des gens et puis la chance tourne. Cela me fait croire à la justice.

— J'y crois. La première fois que j'ai lâché du napalm, j'ai pensé : « Voici le village où je suis né. Cette maison est celle de M. Dubois, le vieil ami de mon père.

Le boulanger – j'aimais beaucoup le boulanger quand j'étais petit – essaie de s'enfuir, là, en bas, parmi les flammes que j'ai allumées. » Les hommes de Vichy ne bombardaient pas leur propre pays. Je me sentais plus coupable qu'eux.

— Et vous continuez pourtant.

— On a ses mauvaises heures. Les miennes ne viennent qu'avec le napalm. Le reste du temps, je pense que je défends l'Europe. Et vous savez, les autres, ils font eux aussi des choses monstrueuses. Quand nous les avons chassés de Hanoï en 1946, ils ont laissé d'abominables vestiges, parmi leurs propres compatriotes, ceux de leurs compatriotes qui nous avaient aidés. J'ai vu une jeune fille à la morgue, non seulement ils lui avaient coupé les seins, mais ils avaient mutilé son amoureux et fourré...

— C'est pourquoi je ne veux pas être mêlé à cette affaire.

— Il n'est pas question de raison ou de justice. Nous nous laissons tous engager dans un moment d'émotion et puis nous ne pouvons plus nous dégager. La Guerre, l'Amour... on les a toujours comparés. (Son regard triste traversa la pièce jusqu'à l'endroit où la métisse vautrée goûtait une paix passagère.) Je ne souhaite pas qu'il en soit autrement. Voilà une fille qui a été « engagée » par ses parents... quel sera son sort quand cet aéroport tombera ? La France n'est qu'à moitié sa patrie.

— Va-t-il tomber ?

— Vous êtes journaliste. Vous savez mieux que moi que notre victoire est impossible. Vous savez que la route de Hanoï est coupée et minée toutes les nuits. Vous savez que nous perdons une promotion de saint-cyriens par an. Nous avons failli être vaincus en 50. De Lattre nous a obtenu deux ans de grâce, c'est tout. Mais nous sommes des militaires de carrière et nous devons continuer à nous battre jusqu'à ce que les politiciens nous disent de nous arrêter. Alors, il est probable qu'ils se réuniront pour décider de conditions de paix exactement semblables à celles que nous aurions obtenues dès le début, et qui réduiront toutes ces années à l'état de pure absurdité.

Sa figure laide qui, avant le raid, m'avait adressé un clignement d'yeux, avait pris une sorte de brutalité professionnelle et ressemblait à l'un des masques de papier par les trous desquels des yeux d'enfants vous épient, à Noël.

— Vous ne pouvez pas comprendre cette absurdité, Fowler, vous n'êtes pas des nôtres.

— Il y a dans la vie d'autres choses qui réduisent les années à l'état d'absurdité.

Il posa sa main sur mon genou, en un étrange geste de protection, comme s'il était mon aîné.

— Emmenez-la ce soir, dit-il. Cela vaut mieux qu'une pipe.

— Comment savez-vous qu'elle viendra ?

— J'ai couché avec elle moi-même. Le lieutenant Perrin aussi. Cinq cents piastres.

— Cher.

— Je crois qu'elle marcherait pour trois cents, mais étant donné les circonstances, on n'a pas envie de marchander.

Je suivis sans succès le conseil qu'il m'avait donné. Le corps d'un homme ne peut accomplir que certains actes dont le nombre est limité et le mien était glacé par mes souvenirs. Ce que mes mains touchèrent cette nuit-là était sans doute plus beau que ce à quoi j'étais habitué, mais ce n'est pas la seule beauté qui nous prend au piège. Elle employait le même parfum et brusquement, au moment où j'allais la pénétrer, le fantôme de ce que j'avais perdu se révéla plus puissant que le corps étendu qui s'offrait à moi. Je m'écartai d'elle, m'allongeai sur le dos et, peu à peu, mon désir se tarit.

— Tous mes regrets, dis-je.

Et j'ajoutai ce mensonge :

— Je ne sais pas ce qui m'arrive.

Elle me répondit gentiment, avec une incompréhension pleine de douceur :

— Ne t'inquiète pas. Cela arrive souvent. C'est l'opium.

— Oui, dis-je, l'opium.

Comme j'aurais souhaité, mon Dieu, que ce fût vrai !

Chapitre 2

1

Il fut étrange, ce premier retour à Saigon, sans personne pour m'accueillir. À l'aérodrome, j'aurais voulu pouvoir donner à mon taxi une autre adresse que celle dc la rue Catinat. Je pensais en moi-même : « La douleur est-elle un peu moins vive qu'à mon départ ? » Et j'essayais de me persuader qu'elle s'était atténuée. Quand j'arrivai au palier, je vis que l'appartement était ouvert et j'eus le souffle coupé par un espoir insensé. Je marchai très lentement vers la porte. Tant que je ne l'aurais pas atteinte, mon espoir demeurerait vivant. J'entendis une chaise craquer et quand je franchis le seuil, je vis une paire de chaussures, mais qui n'étaient pas des chaussures de femme. J'entrai d'un pas rapide, et ce fut Pyle qui tira gauchement son corps pesant du fauteuil où Phuong avait coutume de s'asseoir.

— Bonjour, Thomas, dit-il.

— Bonjour, Pyle. Comment êtes-vous entré ?

— J'ai rencontré Dominguez qui apportait votre courrier. Je lui ai demandé de me laisser m'installer pour vous attendre.

— Est-ce que Phuong a oublié quelque chose ?

— Oh ! non, mais Joe m'a dit que vous étiez venu à la légation. J'ai pensé qu'il nous serait plus facile de discuter ici.

— À propos de quoi ?

Il fit un geste désorienté, comme un petit garçon forcé de parler dans quelque cérémonie scolaire officielle et qui ne trouve pas de mots adultes.

— Vous avez été absent ?

— Oui. Et vous ?

— Oh ! j'ai fait des petits voyages.

— Vous vous amusez toujours avec du plastic ?

Il ne me répondit que par un petit sourire malheureux.

— Votre courrier est là, dit-il.

D'un coup d'œil, je vis qu'il n'y avait rien qui pût m'intéresser désormais : une lettre venait de mon bureau de Londres et les autres avaient l'air de factures ; une portait le nom de ma banque.

— Comment va Phuong ? dis-je.

— Oh ! elle est très bien, répondit-il, refermant ensuite brusquement les lèvres comme s'il en avait trop dit.

— Asseyez-vous, Pyle. Excusez-moi un moment, je regarde ceci qui vient de mon bureau.

J'ouvris l'enveloppe. Comme l'inattendu se produit parfois à un moment inopportun ! Le rédacteur en chef m'écrivait qu'il avait pris en considération ma dernière lettre et que, vu la situation confuse en Indochine, à la suite de la mort du général de Lattre et de l'évacuation de Hoa Binh, il se ralliait complètement à ma suggestion. Il avait nommé un rédacteur temporaire aux nouvelles de l'étranger et me demandait de prolonger au moins d'une année mon séjour en Indochine. « Nous gardons votre place chaude », disait-il en terminant, pour me rassurer, avec une incompréhension totale. Il s'imaginait que je m'intéressais à mon job, et à son journal.

Je m'assis en face de Pyle et je relus la lettre qui était arrivée trop tard. J'avais, pendant une minute, ressenti un grand bonheur, comme nous en avons parfois au réveil, avant que la mémoire nous revienne.

— Mauvaises nouvelles ? demanda Pyle.

— Non.

Je me disais intérieurement que, de toute manière, cela n'aurait absolument rien changé. Une remise de peine d'un an ne peut triompher d'un contrat de mariage.

— Êtes-vous mariés ? demandai-je.

— Non. (Il rougit : il rougissait très facilement.) Pour tout vous dire, j'espère obtenir une permission spéciale. Ainsi, nous pourrions nous marier chez moi, convenablement.

— Est-ce plus convenable quand on fait cela chez soi ?

— Oh bien ! j'ai pensé... c'est difficile de vous expliquer ces choses-là, Thomas, vous êtes tellement cynique... mais, c'est par respect. Mon père et ma mère seraient là ; en somme, Phuong entrerait dans la famille. C'est très important à cause du passé.

— Le passé ?

— Vous savez ce que je veux dire. Je ne voudrais pas la laisser seule, là-bas, avec une flétrissure...

— Ah ! parce que vous la laisseriez ?

— C'est probable. Ma mère est une femme admirable : elle l'emmènerait partout, la présenterait, enfin, vous voyez, pour qu'elle s'adapte peu à peu. Elle l'aiderait à préparer un foyer pour moi.

Je ne savais pas si je devais, ou non, plaindre Phuong... elle avait une si grande envie de voir les gratte-ciel et la statue de la Liberté, mais elle se doutait bien peu de tout ce qui viendrait avec : le professeur et Mrs Pyle, les déjeuners dans des clubs de femmes... allait-on lui apprendre à jouer à la canasta ? Je la revoyais dans sa robe blanche ce premier soir, au Grand-Monde, évoluant avec une grâce si exquise sur ses pieds de dix-huit ans, et je pensais à elle, un mois auparavant, en train de marchander de la viande chez le boucher du boulevard de la Somme. Aimerait-elle ces petits magasins d'alimentation de la Nouvelle-Angleterre, propres et luisants, où tout est enveloppé de cellophane, même les branches de céleri ? Peut-être. Je n'en savais rien. Chose étrange, je m'entendis dire ce que Pyle aurait pu me dire un mois avant :

— Traitez-la avec douceur, Pyle. Ne brusquez rien. Elle est vulnérable et souffrirait, comme vous et moi.

— Bien sûr, bien sûr, Thomas.

— Elle a l'air fragile, toute petite, très différente de nos femmes, mais ne la considérez pas comme... comme un ornement.

— C'est bizarre, Thomas, la façon dont les choses tournent, à l'inverse de ce que nous prévoyons. Cette conversation me faisait peur d'avance. Je pensais que vous alliez vous emporter.

— J'ai eu tout le temps de réfléchir là-haut dans le Nord. Il y avait une femme... peut-être ai-je vu ce que vous avez vu chez les prostituées. C'est une bonne chose qu'elle vous ait suivi. J'aurais pu partir un jour et la laisser avec quelqu'un comme Granger. De la fesse !

— Et rien n'empêche que nous soyons amis, Thomas ?

— Mais non, bien sûr. Seulement, j'aimerais autant ne pas voir Phuong. Ce qui demeure d'elle dans cette pièce me suffit. Il faudra que je trouve un autre appartement... quand j'aurai le temps.

Il déplia ses jambes et se leva.

— Je suis bien content, Thomas. Je ne peux pas vous dire à quel point je suis content. Je sais que je vous l'ai déjà dit, mais je regrette tellement que ce soit à vous que cela arrive.

— Moi, je suis content que cela vous arrive, à vous, Pyle.

L'entrevue n'avait pas pris du tout le tour que j'avais prévu : sous les desseins superficiels inspirés par la colère, mon véritable plan d'action s'était sans doute formé. Tandis que l'innocence de Pyle m'exaspérait, quelque juge siégeant au fond de moi devait conclure en sa faveur, devait comparer son idéalisme, ses idées qui ne tenaient pas debout, tirées des ouvrages de York Harding, avec mon cynisme. Oh ! j'avais raison pour ce qui était des faits, mais lui, n'avait-il pas raison d'être jeune et de se tromper, et pour une jeune femme, n'était-il pas de nous deux le meilleur compagnon de vie ?

Nous échangeâmes une poignée de main pour la forme, mais je ne sais quelle crainte me poussa à le suivre jusqu'en haut de l'escalier et à le rappeler. Peut-être y a-t-il un prophète à côté du juge dans ces tribunaux intérieurs où se promènent nos vraies décisions.

— Pyle, ne vous fiez pas trop à York Harding.

— York !

Il s'arrêta au premier palier et, la tête levée, me regarda avec surprise.

— Nous sommes de vieilles nations colonisatrices, Pyle, mais nous avons eu le temps d'apprendre quelques vérités, nous avons appris qu'il ne faut pas jouer avec les allumettes. Cette Troisième Force, elle n'existe que dans un livre. Le général Thé n'est qu'un bandit, suivi par quelques milliers d'hommes, il ne représente pas une démocratie nationale.

On aurait cru qu'il avait regardé par la fente d'une boîte aux lettres pour savoir qui était là et qu'en apercevant un intrus il laissait retomber le battant, décidé à ne pas admettre cet indésirable. Je ne voyais pas ses yeux.

— Je ne sais pas ce que vous voulez dire, Thomas.

— Ces bombes de bicyclettes. C'était une bonne blague, bien qu'un homme y ait perdu son pied... Mais, Pyle, vous ne pouvez pas vous fier à des gens comme Thé. Ils ne sauveront pas l'Orient du communisme. Nous les connaissons, eux et leurs semblables.

— Nous ?

— Les vieux colonialistes.

— Je croyais que vous ne preniez pas parti.

— Je ne prends pas parti, Pyle. Mais si quelqu'un de votre boîte tient absolument à faire du gâchis, laissez cela à Joe. Rentrez chez vous avec Phuong. Oubliez la Troisième Force.

— Soyez sûr que j'apprécie toujours vos conseils, Thomas, dit-il cérémonieusement. À bientôt, sans doute.

— C'est probable.

2

Les semaines s'écoulaient, mais je ne sais pourquoi, je n'avais pas encore réussi à trouver un autre appartement. Ce n'est pas que le temps me manquât. Une fois de plus, la crise annuelle de la guerre était passée : le crachin moite et étouffant s'était installé dans le Nord ; les Français avaient évacué Hoa Binh, la campagne du riz était terminée au Tonkin et la campagne de l'opium au Laos. Dominguez pouvait facilement assurer seul toutes les informations concernant le Sud. Je me forçai enfin à aller visiter un appartement dans un immeuble prétendu moderne (Exposition de Paris 1934) tout au bout de la rue Catinat, après l'Hôtel Continental. C'était le pied-à-terre d'un planteur de caoutchouc qui rentrait chez lui. Il voulait le vendre en bloc, tout meublé et décoré. Les décorations se composaient pour la plupart de reproductions du Salon de Paris, entre 1880 et 1900. Leur plus grand facteur commun était une femme avec d'énormes seins et une extraordinaire coiffure et dont les draperies de mousseline étaient disposées de manière à exhiber de grosses fesses et leur sillon, en dissimulant toujours le champ de bataille. Dans la salle de bains, le planteur avait montré un peu plus de hardiesse dans le choix de ses reproductions de Rops.

— Vous êtes amateur d'art ? demandai-je.

Et il me répondit par un sourire complaisant, comme si nous étions deux conspirateurs. Il était adipeux, avec une petite moustache noire et le cheveu rare.

— Mes meilleurs tableaux sont à Paris, dit-il.

Il y avait un étonnant et volumineux cendrier, représentant une femme nue qui portait un bol dans les cheveux, et il y avait des bibelots de porcelaine où des filles dévêtues enlaçaient des tigres et dont le plus étrange était une femme à bicyclette, nue jusqu'à la taille. Dans la chambre, en face de son énorme lit, était suspendue une peinture à l'huile, sous verre, de deux jeunes filles couchées ensemble. Je lui demandai quel serait le prix de son appartement sans sa collection, mais il se refusait à les vendre l'un sans l'autre.

— Vous n'êtes pas collectionneur ? demanda-t-il.

— Ma foi non.

— J'ai aussi quelques livres, ajouta-t-il, que je laisserai avec le reste, sauf ceux-ci, car j'ai l'intention de les remporter en France.

Il ouvrit une vitrine-bibliothèque, qui était fermée à clé, et me montra ses livres : il y avait de coûteuses éditions illustrées de *Nana* et d'*Aphrodite, La Garçonne* et même plusieurs Paul de Kock. Je fus tenté de lui demander s'il envisagerait de se vendre avec sa collection : ils allaient si bien ensemble. Lui aussi était « d'époque ».

— Quand on vit seul sous les tropiques, dit-il, une collection vous tient compagnie.

Je pensais à Phuong à cause, justement, de son absence totale. C'est toujours la même chose : si l'on se réfugie dans le désert, le silence vous crie aux oreilles.

— Je ne crois pas que mon journal m'autoriserait à acheter une collection d'œuvres d'art.

— Il va de soi, dit-il, que le reçu n'en ferait pas mention.

J'étais content que Pyle ne l'eût jamais vu ; cet homme aurait pu prêter son visage au « vieux colonialiste » selon l'idée déjà assez repoussante qu'il s'en faisait. Quand je sortis de chez lui, il était près de onze heures et demie et je descendis jusqu'au Pavillon pour y boire un verre de bière glacée. Le Pavillon était un lieu de rencontre pour les Américains et les Européennes : j'étais sûr de ne pas y voir Phuong. En fait, je savais exactement où elle serait à cette heure de la journée. Elle n'était pas femme à changer ses habitudes. Aussi, en sortant de l'appartement du planteur, avais-je traversé la rue pour éviter le *milk-bar* où chaque matin elle buvait son orge chocolatée. À la table voisine de la mienne deux jeunes Américaines, propres et nettes malgré la chaleur, engloutissaient des crèmes glacées. L'une et l'autre avaient un sac en bandoulière sur l'épaule gauche, des sacs identiques, portant en insigne un aigle de cuivre. Leurs jambes aussi, longues et minces, étaient identiques, ainsi que leurs nez légèrement retroussés. Elles mangeaient leurs glaces avec une grande application comme si elles faisaient une expérience dans le laboratoire de leur collège. Je me demandai si c'étaient des collègues de Pyle : elles étaient charmantes et j'aurais voulu les renvoyer aux États-Unis, elles aussi. Elles terminèrent leurs glaces et l'une des deux regarda sa montre.

— Il faut que nous partions, dit-elle, pour plus de sûreté.

Je me demandais – pour passer le temps – quel genre de rendez-vous elles pouvaient avoir.

— Warren a dit que nous ne devions pas rester ici après onze heures vingt-cinq.

— Il est déjà un peu plus.

— Ce serait rudement drôle de rester. Je ne sais pas de quoi il s'agit. Et vous ?

— Pas exactement. Mais Warren nous a bien recommandé de partir.

— Croyez-vous que ce soit une manifestation ?

— J'en ai vu tellement, de manifestations, dit l'autre de l'air las d'un touriste gorgé de cathédrales.

Elle se leva et posa sur la table le prix des glaces. Avant de quitter le café elle y jeta un regard circulaire et les miroirs lui renvoyèrent sous tous ses angles son profil taché de rousseur. Il ne restait dans la salle en plus de moi qu'une Française entre deux âges, mal fagotée, qui refaisait soigneusement et bien inutilement son maquillage.

Les deux Américaines avaient à peine besoin de se farder, une couche rapide de rouge à lèvres, un coup de peigne dans les cheveux. Pendant un moment, son regard se posa sur moi : ce n'était pas un regard de femme, c'était un regard masculin, très direct, hésitant une seconde devant une décision à prendre. Puis elle se tourna vivement vers sa compagne.

— Il faut que nous filions, dit-elle.

Distraitement, je les regardai sortir côte à côte dans la rue que craquelait le soleil. Il était impossible d'imaginer que l'une ou l'autre pût être en proie à une passion désordonnée : aucun rapport entre elles et l'idée de draps froissés mouillés par la sueur de luttes amoureuses. Se munissaient-elles de désodorisants, lorsqu'elles se mettaient au lit ? Je me surpris, l'espace d'une minute, à leur envier leur monde stérilisé, si différent du monde que j'habitais... lequel, tout à coup, inexplicablement, se disloqua. Deux des miroirs du mur volèrent vers moi et s'écroulèrent à mi-chemin. La Française mal fagotée était à genoux au milieu des débris épars de chaises et de tables. Son poudrier ouvert, et intact, reposait sur mes genoux, et, chose étrange, j'étais assis exactement au même endroit qu'avant, bien que ma table fût allée rejoindre les décombres qui entouraient la Française. Un curieux bruit de jardin, le ruissellement régulier d'une fontaine, emplissait le café ; me tournant vers le bar, je vis des rangées de bouteilles brisées qui laissaient échapper leur contenu en un flot multicolore – le rouge du porto, l'orange du Cointreau, le vert de la Chartreuse, le jaune trouble du pastis – sur le sol du café. La Française se redressa et calmement chercha des yeux son poudrier. Je le lui donnai et, toujours assise à terre, elle me remercia cérémonieusement. Je me rendis compte que je ne l'entendais pas très bien. L'explosion avait été si proche que mes tympans n'étaient pas encore remis du choc de son souffle.

Je pensais avec une certaine irritation : encore quelque plaisanterie au plastic. Que pourrais-je écrire maintenant pour satisfairc Mr Heng ? Mais quand j'arrivai sur la place Garnier, je compris, en voyant de lourds nuages de fumée, qu'il n'était pas question cette fois d'une plaisanterie. La fumée s'échappait de voitures en train de brûler dans le parc à autos devant le théâtre national ; des fragments de voitures jonchaient toute la surface de la place et un homme sans jambes, secoué de mouvements convulsifs, était couché près du jardin d'agrément. La foule accourait de la rue Catinat et du boulevard Bonnard. Les sirènes des cars de police, les cloches des ambulances et des voitures de pompiers parvenaient amorties à mes tympans choqués. Pendant un moment, j'avais oublié que Phuong était sûrement à cette heure-ci au *milk-bar*, de l'autre côté de la place. Le rideau de fumée m'empêchait de voir jusque-là.

Je m'approchai du square, mais un agent s'interposa. La police avait établi un cordon le long des points d'accès pour empêcher la foule de grossir et déjà l'on voyait émerger les civières. J'implorais l'agent de police qui me barrait le chemin.

— Laissez-moi traverser. Je connais quelqu'un...

— Reculez, me dit-il, tout le monde ici connaît quelqu'un.

Il s'écarta pour laisser passer un prêtre, et j'essayai de suivre le prêtre, mais l'agent me tira en arrière. Je lui dis : « Je représente la presse », tout en cherchant en vain le portefeuille où je mettais ma carte : je ne pus le trouver, étais-je sorti ce jour-là sans le prendre ?

— Du moins, dis-je, dites-moi ce qui est arrivé au *milk-bar*.

La fumée se dissipait et j'essayais de voir, mais la foule était trop dense. L'agent dit quelques mots que je ne pus saisir.

— Que dites-vous ?

Il répéta.

— Je ne sais pas. Reculez. Vous gênez le passage des civières.

Aurais-je laissé tomber mon portefeuille au Pavillon ? En me retournant pour y aller voir, j'aperçus Pyle. Il s'écria :

— Thomas !

— Pyle, dis-je, pour l'amour de Dieu, avez-vous votre coupe-file de la légation ? Il faut que nous traversions. Phuong est au *milk-bar*.

— Non, non, dit-il.

— Mais si, Pyle. Elle y va toujours, à onze heures et demie. Il faut que nous la retrouvions.

— Elle n'y est pas, Thomas.

— Comment le savez-vous ? Où est votre carte ?

— Je l'avais prévenue qu'il ne fallait pas y aller.

Je me retournai vers l'agent de police, méditant de le pousser de côté et de prendre mes jambes à mon cou. Peut-être tirerait-il sur moi, ce qui m'était bien égal. Mais tout à coup le mot « prévenue » parvint jusqu'à mon intelligence. Je saisis Pyle par le bras.

— Prévenue ? dis-je. Que voulez-vous dire ? Prévenue ?

— Je lui ai dit qu'il ne fallait pas y aller ce matin.

Les pièces se rassemblaient dans mon esprit.

— Et Warren ? demandai-je. Qui est Warren ? Il avait prévenu ces deux filles aussi.

— Je ne comprends pas.

— Il ne fallait pas de victimes américaines, n'est-ce pas ?

Une voiture d'ambulance se fraya un passage par la rue Catinat et l'agent de police qui m'avait arrêté s'écarta pour la laisser pénétrer sur la place. L'autre agent était plongé dans une discussion. Je poussai Pyle devant moi et nous entrâmes dans les jardins avant qu'ils aient pu nous arrêter.

Nous nous trouvâmes au milieu d'une foule désolée : la police pouvait empêcher les nouveaux venus d'approcher, elle n'avait pas pu débarrasser la place des survivants et des premiers arrivés. Les médecins étaient trop affairés pour s'occuper des morts, aussi les morts étaient-ils laissés aux parents à qui ils appartenaient, car un mort peut vous appartenir, au même titre qu'une chaise. Une femme assise sur le sol tenait sur ses genoux ce qui restait de son bébé ; par une sorte de pudeur, elle l'avait recouvert de son grand chapeau de paille de paysanne. Elle était immobile et silencieuse. Ce qui me frappa le plus sur cette place, ce fut le silence. Cela me rappelait une église que j'avais visitée pendant la messe : les seuls sons y venaient de ceux qui officiaient, sauf que de place en place des Européens pleuraient, imploraient, puis retombaient dans le silence comme s'ils avaient honte devant la modestie, la patience et la décence des Orientaux. À la limite du jardin, le torse sans jambes continuait de tressauter comme un poulet dont on a coupé la tête. D'après la chemise de l'homme, il avait dû être conducteur de rickshaw.

— C'est horrible, dit Pyle.

Il regarda ce qui mouillait ses chaussures et demanda d'une voix écœurée :

— Qu'est-ce que c'est que cela ?

— Du sang, lui dis-je. N'en aviez-vous jamais vu ?

— Il faudra que je les fasse cirer avant d'aller chez le ministre.

Je ne crois pas qu'il savait exactement ce qu'il disait. Il voyait une vraie guerre pour la première fois. Il était allé seul en barque jusqu'à Phat Diem poussé par une sorte de rêve d'adolescent, et d'ailleurs à ses yeux les soldats ne comptaient pas.

— Vous voyez ce que peut faire un bidon de Diolacton, lui dis-je, quand on le confie aux gens qu'il ne faut pas. (Je le forçai, de ma main posée sur son épaule, à regarder autour de lui.) C'est l'heure où cet endroit est toujours plein de femmes et d'enfants, l'heure où elles font leur marché. Pourquoi avoir choisi justement cette heure-là ?

Il répondit piteusement :

— Il devait y avoir un défilé.

— Et vous espériez atteindre quelques colonels. Mais le défilé a été décommandé hier, Pyle.

— Je l'ignorais.

— Vous l'ignoriez ! (Je le poussai dans une flaque de sang marquant l'endroit où l'on avait posé une civière.) Vous devriez être mieux informé.

— Je n'étais pas à Saigon, dit-il, les yeux baissés vers ses chaussures. Ils auraient dû annuler cela.

— Et se priver d'un tel plaisir ? lui demandai-je. Croyez-vous que le général Thé allait perdre cette occasion de se manifester ? Ceci vaut bien mieux qu'un défilé. Les femmes et les enfants, dans une guerre, ça fait du bruit ; les journaux en parlent, plus que des soldats. Cette histoire-ci va défrayer l'actualité mondiale. Vous avez mis le général Thé en vedette, soyez-en sûr, Pyle. Regardez la Troisième Force et la démocratie nationale qui s'étalent sur votre chaussure droite. Allez retrouver Phuong et racontez-lui l'histoire de vos morts héroïques... voilà quelques douzaines de ses compatriotes dont on n'aura plus besoin de s'occuper.

Un petit prêtre obèse trottinant d'un pas vif passa, portant quelque chose sur un plat sous une serviette. Pyle gardait le silence depuis un bon moment et moi je n'avais plus rien à dire. En fait, j'avais déjà trop parlé. Il était pâle, il avait l'air effondré, prêt à s'évanouir, et je pensai : « À quoi bon ? il sera toujours aussi innocent, on ne peut blâmer les innocents, ils sont sans péché. Tout ce qu'on peut faire, c'est les surveiller de près ou les éliminer. » L'innocence est une sorte de démence.

— Thé n'aurait jamais fait cela, dit-il, je suis sûr qu'il ne l'aurait pas fait. Il a été induit en erreur. Les communistes...

Ses bonnes intentions et son ignorance lui faisaient une armure impénétrable. Je le laissai debout dans le square et remontai la rue Catinat jusqu'à l'endroit où une hideuse cathédrale rose barre le chemin. Déjà, les fidèles y entraient à flots : sans doute trouvaient-ils un réconfort à prier les morts pour les morts.

À la différence de ces gens, j'avais tout lieu d'être reconnaissant, puisque Phuong vivait. Phuong n'avait-elle pas été « prévenue » ? Mais je me rappelais le torse dans le square, le bébé sur les genoux de sa mère. Eux n'avaient pas été prévenus : ils n'étaient pas assez importants. Et si le défilé avait eu lieu, ils se seraient trouvés là de la même manière, par curiosité, pour voir les soldats, entendre les orateurs et lancer des fleurs. Une bombe de deux cents livres ne choisit pas. Combien de colonels morts justifient la mort d'un enfant, ou celle d'un conducteur de cyclo-pousse lorsqu'on est en train d'édifier un front national démocratique ? J'arrêtai un pousse à moteur et me fis mener au quai Mytho.

Quatrième partie

Chapitre premier

J'avais donné de l'argent à Phuong pour qu'elle emmène sa sœur au cinéma, m'assurant ainsi qu'elle ne serait pas mêlée à cet entretien. J'allai dîner avec Dominguez et je revins dans ma chambre, où j'attendis Vigot qui arriva à dix heures exactement. Il s'excusa de ne pas boire en m'expliquant qu'il était trop fatigué et qu'il lui suffirait d'un verre d'alcool pour s'endormir. Sa journée avait été très remplie.

— Meurtres et morts subites ?

— Non. Larcins et suicides. Ces gens adorent le jeu, et quand ils ont tout perdu, ils se suicident. Peut-être ne serais-je jamais entré dans la police si j'avais su qu'il me faudrait passer autant de temps dans les morgues. Je n'aime pas l'odeur de l'ammoniaque. Après tout, je crois que je vais vous demander de la bière.

— Je m'excuse, je n'ai pas de réfrigérateur.

— Ce n'est pas comme à la morgue. Eh bien ! un peu de whisky anglais.

Je me rappelais la nuit où j'étais descendu dans la morgue avec lui et où l'on avait sorti le corps de Pyle sur un plateau qui glissait comme un tiroir de cubes de glace.

— Alors, vous ne repartez pas pour l'Angleterre ? demanda-t-il.

— Vous avez vérifié ?

— Oui.

Je lui tendis le verre de whisky afin qu'il pût voir combien mes nerfs étaient calmes.

— Vigot, je voudrais que vous me disiez pourquoi vous croyez que j'ai joué un rôle dans la mort de Pyle. Est-ce une question de mobile ? Pensez-vous que je voulais récupérer Phuong ? Ou me venger de ce que je l'avais perdue ?

— Non. Je ne suis pas si bête. On ne garde pas en souvenir les livres de son ennemi. J'en vois un sur votre étagère : *The Role of the West*. Qui est ce York Harding ?

— C'est l'homme que vous cherchez, Vigot. Il a tué Pyle... de loin.

— Je ne comprends pas.

— C'est une sorte de journaliste d'une espèce supérieure... on les appelle des correspondants diplomatiques. Il s'empare d'une idée, ensuite il déforme toutes les situations pour les adapter à son idée. Pyle nous est arrivé imprégné de l'idée conçue par York Harding. Harding a séjourné ici une semaine, une seule fois en allant de Bangkok à Tokyo. Pyle a commis l'erreur de mettre cette idée en pratique. Dans son livre, Harding parle d'une Troisième Force. Pyle en a formé une... avec un petit bandit de pacotille, suivi de deux mille hommes et de deux tigres apprivoisés. Il s'est trouvé engagé.

— Ça ne vous arrive jamais, à vous ?

— J'ai essayé de m'en garder.

— Mais vous avez échoué, Fowler.

Je ne sais pourquoi, je pensai au capitaine Trouin et à la nuit que nous avions passée, il y avait des années, me semblait-il, dans la fumerie d'opium de Haïphong. Que m'avait-il dit ? Il s'agissait de la nécessité où nous nous trouvons tous de prendre parti, tôt ou tard, à un moment d'émotion.

— Vous auriez fait un bon prêtre, Vigot, dis-je. Qu'y a-t-il donc en vous qui rendrait une confession si facile... en supposant qu'on ait quelque chose à confesser.

— Je n'ai jamais sollicité de confessions.

— Mais vous en avez reçu.

— De temps en temps.

— Est-ce parce que votre tâche, comme celle d'un prêtre, est de comprendre et de compatir sans vous scandaliser ? « Monsieur le flic, il faut que je vous dise exactement pourquoi j'ai défoncé le crâne de la vieille dame. » – « Oui, Gustave, prenez votre temps et exposez-moi vos raisons. »

— Vous avez une imagination baroque. Mais... vous ne buvez pas, Fowler ?

— N'est-il pas imprudent, de la part d'un criminel, de boire en compagnie d'un officier de police ?

— Je n'ai jamais dit que vous étiez un criminel.

— Mais, supposez que l'alcool déclenche en moi, même en moi, le désir de me confesser ? Il n'y a pas de secret du confessionnal dans votre métier.

— Le secret importe rarement pour un homme qui se confesse, même lorsqu'il s'adresse à un prêtre. Il est poussé par d'autres motifs.

— Le besoin de se purifier ?

— Pas toujours. Parfois, il veut simplement se voir comme il est, avec clarté. Parfois, c'est qu'il est las de mentir. Vous n'êtes pas un criminel, Fowler, mais je voudrais savoir pourquoi vous m'avez menti. Vous avez vu Pyle la nuit de sa mort.

— Qu'est-ce qui vous le fait croire ?

— Je ne vous soupçonne pas du tout de l'avoir tué. Vous ne vous seriez sûrement pas servi d'une baïonnette rouillée.

— Rouillée ?

— C'est le genre de détail que révèle une autopsie. D'ailleurs, je vous ai dit que cette blessure n'avait pas causé la mort. La boue de Dakow. (Il me tendit son verre pour que je l'emplisse de whisky.) Voyons un peu. Vous avez bu un verre au Continental à six heures dix ?

— Oui.

— Et à six heures quarante-cinq, vous parliez avec un autre journaliste à la porte du Majestic ?

— Oui, avec Wilkins. Je vous ai déjà dit tout cela, Vigot. La nuit même.

— Oui. J'ai vérifié depuis. C'est merveilleux que vous ayez retenu de si petits détails.

— Je suis reporter, Vigot.

— Peut-être les heures ne sont-elles pas tout à fait exactes, mais personne ne pourrait vous reprocher, n'est-ce pas, de vous tromper d'un quart d'heure par-ci ou de dix minutes par-là. Vous n'aviez aucune raison de vous douter que les heures avaient de l'importance. En fait, ce serait bien suspect si vous étiez absolument exact.

— N'est-ce pas exact ?

— Pas tout à fait. C'est à sept heures moins cinq que vous causiez avec Wilkins.

— Dix minutes plus tard.

— Mais oui. Comme je vous l'ai dit. Et six heures venaient à peine de sonner quand vous êtes arrivé au Continental.

— Ma montre avance toujours un peu, dis-je. Quelle heure avez-vous maintenant ?

— Dix heures huit.

— Dix heures dix-huit, d'après moi. Vous voyez.

Il ne prit pas la peine de regarder.

— L'heure où vous dites avoir parlé à Wilkins est donc de sept heures moins vingt-cinq, s'il faut en croire votre montre. C'est une erreur qui compte, celle-là, non ?

— Peut-être ai-je corrigé ma montre, mentalement. Peut-être avais-je remis ma montre à l'heure ce jour-là. Cela m'arrive.

— Ce qui m'étonne, dit Vigot (voulez-vous me donner un peu plus d'eau, vous avez fait celui-ci trop fort pour moi), c'est de voir que vous ne vous fâchez pas du tout contre moi. Ce n'est pas très agréable d'être interrogé comme je vous interroge.

— Je trouve cela intéressant, autant qu'un roman policier. Et après tout, vous savez que je n'ai pas tué Pyle... vous me l'avez dit.

— Je sais, dit Vigot, que vous n'avez pas assisté à son assassinat.

— Je me demande ce que vous espérez prouver en démontrant que je me suis trompé de dix minutes ici et cinq là.

— Cela vous donne un peu de battement, dit-il, un vide dans le temps.

— Et comment remplissez-vous ce vide ?

— Pyle est venu vous voir.

— Pourquoi tenez-vous tant à établir cela ?

— À cause du chien.

— Et de la boue qu'il avait aux pattes ?

— Ce n'était pas de la boue, c'était du ciment. Voyez-vous, cette nuit-là, en suivant Pyle, à un certain endroit, ce chien a marché dans du ciment mouillé. Je me suis rappelé qu'au rez-de-chaussée de votre maison des maçons travaillaient, ils y travaillent encore. Je les ai croisés ce soir en arrivant : les journées de travail sont longues dans ce pays.

— Je me demande dans combien de maisons il y a des maçons et du ciment frais. Se sont-ils rappelé le chien ?

— Je leur ai demandé, naturellement. Mais s'ils se l'étaient rappelé, ils ne me l'auraient pas dit : je suis la police.

Il se tut et se laissa aller en arrière contre le dossier de son fauteuil, les yeux fixés sur son verre. J'eus le sentiment qu'il venait d'être frappé par une analogie et que sa pensée avait fui très, très loin. Une mouche se promenait sur le dos de sa main, et il ne la chassa pas, pas plus que Dominguez ne l'aurait chassée. J'avais le sentiment d'une force immobile et profonde. Pour ce que j'en savais, peut-être était-il en train de prier.

Je me levai et, écartant les rideaux, je passai dans la chambre. Je n'avais aucune raison d'y entrer si ce n'est d'échapper pendant un moment à ce silence installé dans ce fauteuil. Les livres d'images de Phuong étaient revenus sur l'étagère. Elle avait planté au milieu de ses produits de beauté un télégramme arrivé pour moi, quelque message de mon bureau de Londres. Je n'étais pas d'humeur à l'ouvrir. Tout était comme avant la venue de Pyle. Les chambres ne changent pas, les ornements restent là où nous les mettons : seul le cœur se délabre.

Je revins dans le salon et Vigot porta son verre à ses lèvres.

— Je n'ai rien à vous dire, lui dis-je. Rien du tout.

— Alors, je vous quitte. Je crois que je ne reviendrai plus vous ennuyer.

Sur le seuil, il se retourna comme s'il se résignait difficilement à abandonner tout espoir – son espoir ou le mien.

— Vous aviez choisi un film bizarre, ce soir-là. Bizarre pour vous. Je ne croyais pas qu'une pièce historique pouvait vous intéresser. Qu'était-ce donc ? *Robin Hood ?*

— *Scaramouche*, je crois. Il fallait que je tue le temps. Et j'avais besoin de me distraire.

— De vous distraire ?

— Nous avons tous nos ennuis personnels, Vigot, expliquai-je avec application.

Quand Vigot fut parti, il me restait encore une heure avant de retrouver Phuong et la compagnie d'un être vivant. C'est étrange comme la visite de Vigot m'avait troublé. J'avais comme l'impression qu'un poète m'avait apporté son œuvre à critiquer et que d'un geste négligent je l'avais détruite. J'étais un homme sans vocation – on ne peut sérieusement considérer le journalisme comme une vocation – mais j'étais capable de reconnaître une vocation chez un autre. À présent que Vigot était parti pour aller clore son dossier incomplet, je regrettais de n'avoir pas eu le courage de le rappeler pour lui dire : « Vous avez raison. J'ai vu Pyle, la nuit où il est mort. »

Chapitre 2

1

En me rendant au quai Mytho, je croisai plusieurs voitures d'ambulance qui venaient de Cholon et se dirigeaient vers la place Garnier. On aurait presque pu mesurer la vitesse à laquelle la nouvelle s'était répandue à l'expression de visage des passants. Au début, ils se tournaient vers tous ceux qui, comme moi, venaient de la direction de la place, avec des regards interrogateurs et anxieux. Au moment où j'entrai dans Cholon, j'avais dépassé le rayon des rumeurs : la vie y était active, normale, ininterrompue, personne ne savait.

Je trouvai l'entrepôt de Mr Chou et montai jusqu'à la maison de Mr Chou. Rien n'avait changé depuis ma dernière visite. Le chat et le chien passaient du plancher aux boîtes de carton et de là aux valises comme, aux échecs, un couple de cavaliers qui ne peuvent en venir aux prises. Le bébé se traînait sur le sol et les deux vieux continuaient de jouer au mahjong. Seuls les jeunes gens étaient absents. Dès que j'apparus dans l'ouverture de la porte, une des femmes se mit à servir du thé. Assise sur le lit, la vieille dame regardait ses pieds.

— Mr Heng ? demandai-je.

Je secouai la tête devant le thé : je n'avais pas la moindre envie de recommencer à boire tasse sur tasse de ce breuvage amer et plat.

— *Il faut absolument que je voie Mr Heng.*

Il paraissait impossible de leur faire comprendre le caractère urgent de ma requête, mais peut-être mon refus abrupt d'accepter leur thé les troubla-t-il quelque peu. Ou peut-être, comme Pyle, avais-je du sang sur mes chaussures. Quoi qu'il en soit, au bout de quelques minutes, une des femmes me fit sortir de la chambre, descendre l'escalier, suivre deux rues où les passants grouillaient sous les bannières et me laissa devant ce qui, dans le pays de Pyle, s'appellerait, je suppose, un « salon funéraire », empli d'urnes de pierre dans lesquelles les ossements des morts chinois seraient éventuellement placés.

— Mr Heng, dis-je à un vieux Chinois qui se tenait à l'entrée, Mr Heng.

Cet endroit me paraissait convenir fort bien à une halte, au milieu d'une journée commencée par les collections érotiques du planteur et continuée par les cadavres des gens assassinés dans le square. Quelqu'un appela d'une chambre intérieure, le vieux Chinois s'écarta et me laissa entrer.

Heng lui-même vint d'un air cordial à ma rencontre et m'introduisit dans une petite pièce du fond, où s'alignaient, le long des murs, les chaises noires, sculptées, incommodes qu'on trouve dans toutes les antichambres chinoises, inoccupées et rébarbatives. Mais j'eus le sentiment que, cette fois, les chaises venaient de servir, car il y avait sur la table cinq petites tasses à thé dont deux n'étaient pas tout à fait vides.

— J'ai interrompu une réunion, dis-je.

— Relative à mon commerce, dit évasivement Mr Heng, et sans importance. Je suis toujours heureux de vous voir, Mr Fowler.

— J'arrive de la place Garnier.

— J'ai pensé qu'il s'agissait de cela.

— Vous avez appris...

— On m'a téléphoné. J'ai pensé qu'il valait mieux que j'évite la compagnie de Mr Chou, pendant quelque temps. La police va montrer beaucoup d'activité aujourd'hui.

— Mais vous n'avez rien à y voir.

— Le travail de la police est de trouver le coupable.

— C'est encore Pyle, dis-je.

— Oui.

— C'est terrible d'avoir fait cela.

— Le général Thé n'arrive pas très bien à se dominer.

— Et le plastic n'est pas fait pour les petits jeunes gens qui débarquent de Boston. Qui est le chef de Pyle, Mr Heng ?

— J'ai l'impression que Mr Pyle est plus ou moins son propre maître.

— Qu'est-il ? Un O S S[1] ?

— Les initiales n'ont pas beaucoup d'importance.

— Que puis-je faire, Heng ? Il faut qu'on l'oblige à cesser.

— Vous pouvez publier la vérité. Ou peut-être ne pouvez-vous pas ?

— Mon journal ne s'intéresse pas au général Thé. Il ne s'intéresse qu'à vos compatriotes, Heng.

— Vous voulez vraiment qu'on oblige Mr Pyle à s'arrêter, Mr Fowler ?

— Si vous l'aviez vu, Heng. Il restait cloué sur place et disait que c'était une erreur déplorable, qu'il devait y avoir un défilé. Il a même dit qu'il serait forcé de faire nettoyer ses chaussures avant d'aller chez le ministre.

— Il va de soi que vous pourriez raconter ce que vous savez à la police.

— Elle non plus ne s'intéresse pas à Thé. Et pensez-vous qu'ils oseraient toucher à un Américain ? Il jouit de privilèges diplomatiques. Il sort de l'Université de Harvard. Le ministre aime beaucoup Pyle. Heng, il y avait là

1. *Office of Strategic Service :* Service d'espionnage américain.

une femme dont le bébé... elle l'avait recouvert de son chapeau de paille. Je ne peux pas me l'ôter de l'esprit. Il y en avait eu une à Phat Diem, aussi.

— Il faut tâcher de vous calmer, Mr Fowler.

— Que va-t-il faire maintenant, Heng ? Combien de bombes, combien d'enfants morts peut-on obtenir avec un tambour de Diolacton ?

— Seriez-vous disposé à nous aider, Mr Fowler ?

— Il vient dans ce pays pour commettre des bourdes et les gens meurent du fait de ses maladresses. Quel dommage que vos soldats ne l'aient pas supprimé sur la rivière, à Nam Dinh. Pas mal d'existences en eussent été changées.

— Je pense comme vous, Mr Fowler. Il faut réfréner ses activités. J'ai une suggestion à vous faire.

Derrière la porte quelqu'un toussa avec délicatesse, puis cracha bruyamment.

— Si vous l'invitiez à dîner ce soir au Vieux-Moulin, poursuivit Heng, entre huit heures trente et neuf heures trente ?

— À quoi...

— Nous l'arrêterions en chemin pour lui parler, dit Heng.

— Il est peut-être déjà retenu.

— Le mieux serait que vous lui demandiez de passer chez vous, à six heures trente. Il est libre à cette heure-là : il irait sûrement. S'il peut dîner avec vous, approchez-vous de la fenêtre un livre à la main comme si vous vouliez profiter de la lumière.

— Pourquoi le Vieux-Moulin ?

— C'est près du pont de Dakow. Je pense que nous trouverons là un endroit où nous pourrons parler sans être dérangés.

— Que comptez-vous faire ?

— Vous n'avez pas besoin de le savoir, Mr Fowler. Mais je vous promets que nous agirons avec autant de douceur que la situation le permet.

Les amis invisibles de Mr Heng bougeaient avec des frôlements de rats derrière le mur.

— Ferez-vous cela pour nous, Mr Fowler ?

— Je ne sais pas, dis-je, je ne sais pas.

— Tôt ou tard, dit Heng, et je me rappelai les paroles du capitaine Trouin, à la fumerie d'opium, tôt ou tard il faut prendre parti. Si l'on veut demeurer humain.

2

Je déposai un mot à la légation pour demander à Pyle de venir chez moi et je remontai la rue jusqu'au Continental pour boire quelque chose. Tous les décombres avaient été enlevés ; les pompiers avaient lavé le square. Je ne me doutais pas alors que l'heure et le lieu pouvaient prendre tant d'importance. J'envisageai même de passer toute ma soirée assis à cet endroit, sans tenir compte de mon rendez-vous. Mais je fus arrêté par la pensée que je pourrais peut-être faire peur à Pyle et le forcer à renoncer à ses activités en lui montrant le danger qu'il courait – quel que fût ce danger. Je terminai donc ma bière et je rentrai. Quand je fus chez moi, je me mis à espérer que Pyle ne viendrait pas. J'essayai de lire, mais aucun des ouvrages qui figuraient sur mon étagère ne retint mon attention. Peut-être aurais-je fumé une pipe s'il y avait eu quelqu'un pour me la préparer. Je guettais malgré moi les bruits de pas ; ils se firent entendre à la fin. On frappa à la porte. J'allai ouvrir, mais ce n'était que Dominguez.

— Que voulez-vous ? lui demandai-je.

Il me regarda, l'air très surpris.

— Ce que je veux ? (Il regarda sa montre.) C'est l'heure à laquelle je viens toujours. Avez-vous des dépêches à expédier ?

— Excusez-moi. J'avais oublié. Non, rien.

— Mais un compte rendu de l'explosion de la bombe ? Vous ne voulez rien faire passer ?

— Oh ! faites-le pour moi, Dominguez. Je ne sais pas comment cela se fait. Me trouvant sur les lieux, je pense que j'ai été un peu « choqué ». Je ne peux pas faire entrer cette histoire dans les dimensions d'un câblogramme. (J'essayai d'attraper un moustique qui bourdonnait autour de mes oreilles, et je vis que Dominguez faisait instinctivement la grimace en me voyant frapper.) Rassurez-vous, Dominguez, je l'ai raté.

Il me répondit par un sourire piteux. Il était incapable de justifier sa répugnance à supprimer une vie : après tout, c'était un chrétien, un de ceux à qui Néron avait enseigné l'art de transformer des corps humains en chandelles.

— Puis-je faire quelque chose pour vous ? demanda-t-il.

Il ne buvait pas, ne mangeait pas de viande, ne tuait pas. Je lui enviai la douceur de son âme.

— Non, Dominguez. Je n'ai besoin ce soir que d'être seul.

Je le regardai, de ma fenêtre, traverser la rue Catinat. Un conducteur de cyclo-pousse était garé le long du trottoir juste en face de ma fenêtre ; Dominguez essaya de l'engager, mais je vis l'homme faire « non », de la tête. Il attendait probablement un client, occupé dans une boutique, car ce n'était pas un endroit où se garent habituellement les pousse. Quand je regardai ma montre, je fus surpris de voir que j'avais attendu dix minutes à peine, et quand Pyle frappa, je n'avais même pas, cette fois-ci, entendu son pas.

— Entrez.

Mais, comme d'habitude, ce fut son chien qui entra le premier.

— J'ai été bien content de trouver votre mot, Thomas. Ce matin, il m'avait semblé que vous étiez furieux contre moi.

— Je l'étais probablement. Ce n'était pas joli à regarder.

— Vous en savez déjà tellement qu'il est sans grand danger que je vous en dise davantage. J'ai vu Thé cet après-midi.

— Vous l'avez vu ? Il est donc à Saigon ? Je suppose qu'il est venu contempler les effets de sa bombe.

— Je vous parle en confidence, Thomas. Je l'ai traité avec une grande sévérité.

Il s'exprimait comme le capitaine d'une équipe de football, au collège, qui vient de surprendre un élève en train de compromettre son entraînement. Je lui demandai pourtant avec un certain espoir :

— Renoncez-vous à le suivre ?

— Je lui ai dit que s'il recommençait à faire une démonstration inconsidérée, nous ne voulions plus avoir de rapports avec lui.

— Mais n'avez-vous pas dès maintenant renoncé à travailler pour lui, Pyle ?

Je repoussai avec agacement son chien qui reniflait mes chevilles.

— Je ne peux pas. Couché, Duke ! À longue échéance, il représente le seul espoir que nous ayons. Si, grâce à notre aide, il prend le pouvoir, nous pourrons compter sur lui...

— Combien de gens devront mourir avant que vous compreniez...

Mais je voyais bien que l'argument était vain.

— Que je comprenne quoi, Thomas ?

— Que la gratitude n'existe pas en matière de politique.

— Du moins, ils ne nous haïront pas comme ils haïssent les Français.

— En êtes-vous sûr ? Il arrive que nous ressentions une sorte d'amour pour nos ennemis, et nous pouvons haïr nos amis.

— Vous parlez en Européen, Thomas. Ces gens ne sont pas si compliqués.

— Est-ce là ce que vous avez appris en ces quelques mois ? Bientôt, vous allez dire que ce sont des enfants...

— Ma foi... par certains côtés.

— Trouvez-moi un enfant qui ne soit pas compliqué, Pyle. Un être jeune est une vraie jungle de complications. Nous nous simplifions en vieillissant.

Mais à quoi bon lui dire tout cela ? Il y avait quelque chose d'irréel dans les arguments dont nous usions l'un et l'autre. Je commençais, avant mon temps, à m'exprimer comme un éditorialiste. Je me levai et me rapprochai des étagères qui contenaient mes livres.

— Que cherchez-vous, Thomas ?

— Oh ! rien. Un passage qui me plaisait. Pouvez-vous dîner avec moi, ce soir ?

— J'en serais ravi. Je suis tellement content que vous ne soyez plus furieux contre moi. Je sais que nous ne sommes pas d'accord. Mais nous pouvons avoir des opinions différentes sans cesser d'être amis, n'est-ce pas ?

— Je ne sais pas. Je ne le pense pas.

— Après tout, Phuong a beaucoup plus d'importance que tout cela.

— Le croyez-vous sincèrement, Pyle ?

— Mais, elle est ce qui compte le plus au monde. Pour moi. Et pour vous, Thomas.

— Plus pour moi.

— Nous avons subi un choc terrible aujourd'hui, Thomas, mais vous verrez que dans une semaine nous aurons oublié. En outre, nous nous occupons des familles.

— Nous ?

— Nous avons télégraphié à Washington. Nous obtiendrons l'autorisation d'employer une partie de nos fonds.

Je l'interrompis.

— Le Vieux-Moulin ? Entre neuf heures et neuf heures et demie ?

— Où vous voulez, Thomas.

Je m'approchai de la fenêtre. Le soleil avait sombré derrière les toits. Le conducteur de pousse attendait toujours son client. Je baissai les yeux sur lui, il leva son visage dans ma direction.

— Attendez-vous quelqu'un, Thomas ?

— Non, c'est un passage que je cherchais.

Pour dissimuler mon geste, je lus en tournant mon livre vers le dernier rayon du jour.

I drive through the streets and I care not a damn,
The people they stare, and they ask who I am ;
And if I should chance to run over a cad,
I can pay for the damage if ever so bad
So pleasant it is to have money, heigh ho !
So pleasant it is to have money[1].

— C'est un bien étrange poème, dit Pyle d'un ton désapprobateur.

— C'est d'un poète du XIXe siècle qui était adulte : il n'y en a pas tellement.

Je regardai de nouveau dans la rue. Le conducteur de cyclo-pousse était parti.

— N'avez-vous rien à boire ? demanda Pyle.

— Si, mais je pensais que vous...

— Peut-être que je commence à me relâcher. Votre influence. Je crois que vous me faites du bien, Thomas.

J'allai chercher la bouteille et les verres. J'en oubliai un à mon premier voyage, puis je dus retourner car je n'avais pas apporté d'eau. Tout ce que je faisais ce soir-là prenait beaucoup de temps.

— Vous savez, me dit Pyle, mes parents sont des gens épatants, mais ils ont toujours un peu penché vers la sévérité des mœurs. Nous habitons une vieille maison de Chestnut Street, à droite en montant. Ma mère collectionne les verreries anciennes et mon père, lorsqu'il n'est pas plongé dans ses chères érosions, ramasse tous les

---

1. Je conduis (ma voiture) dans les rues et je me fiche de tout, – Les passants me dévisagent et demandent qui je suis ; – et s'il m'arrive par hasard d'écraser quelque gueux, – je peux payer les frais, si élevés qu'ils soient. – Quelle joie d'être riche, ohé, oh ! – Quelle joie d'être riche ! (A.H. Clough.)

manuscrits et les premières éditions de Darwin qu'il peut découvrir. Comme vous le voyez, ils vivent dans le passé. Peut-être est-ce à cause de cela que York a fait tant d'impression sur moi. Il m'a paru ouvert aux conditions de vie modernes, en somme. Mon père est isolationniste.

— Sans doute pourrais-je m'entendre avec votre père : moi aussi je suis isolationniste.

Pour un homme tranquille, Pyle était ce soir-là d'humeur bavarde. J'essayai de me persuader que Mr Heng avait d'autres moyens à sa disposition que le geste brutal et évident... Mais dans une guerre comme celle-là, je savais qu'on n'avait pas le temps d'hésiter : on se servait de l'arme la plus accessible, les Français avaient la bombe au napalm, Mr Heng la balle de revolver ou le couteau. Je me disais, trop tard, que je n'étais pas fait pour m'ériger en juge. J'allais laisser Pyle bavarder un moment, puis je le mettrais en garde. Il pourrait passer la nuit ici. Ils n'oseraient pas faire irruption chez moi. Je crois qu'il était en train de me parler de sa vieille nourrice...

— ... Elle comptait beaucoup plus dans ma vie que ma propre mère, et quelles tartes aux airelles elle me faisait !...

Je l'interrompis.

— Avez-vous un revolver sur vous, depuis cette fameuse nuit ?

— Non. Les ordres de la légation...

— Mais vous êtes en mission spéciale.

— Ça ne servirait à rien. S'ils ont décidé de m'abattre, rien ne les arrêtera. D'ailleurs, je suis aveugle comme une taupe. Au collège, on m'appelait la Chauve-Souris parce que, dans le noir, je voyais aussi bien que les autres. Un jour que nous faisions les fous...

Il se remettait à discourir. Je retournai à la fenêtre.

Un cyclo-pousse attendait devant la maison. Sans en être sûr – ils se ressemblent tellement – j'eus l'impression que c'était un autre conducteur. Peut-être le premier avait-il vraiment trouvé un client. L'idée me vint que l'endroit le plus sûr pour Pyle était la légation. Ils avaient dû tout préparer, depuis mon signal, pour agir plus tard dans la soirée. Le pont de Dakow tenait une certaine place dans leurs projets, je ne comprenais pas pourquoi ou comment. Pyle ne commettrait pas la folie d'aller traverser Dakow après le coucher du soleil et, de notre côté, le pont était gardé par des policiers armés.

— Je monopolise la conversation, dit Pyle. Je ne sais pas pourquoi, mais ce soir...

— Ne vous gênez pas, dis-je. Je suis d'humeur silencieuse, voilà tout. Peut-être ferions-nous mieux d'annuler ce dîner.

— Non, je vous en prie. Je me suis senti très séparé de vous depuis... mon Dieu...

— Depuis que vous m'avez sauvé la vie, terminai-je sans parvenir à dissimuler l'acuité de la blessure que je m'infligeais volontairement.

— Non, je ne voulais pas dire cela. Tout de même, comme nous avons bavardé cette fameuse nuit ! On aurait dit que c'étaient nos dernières heures sur terre. J'ai appris là beaucoup de choses sur vous, Thomas. Remarquez que je ne suis pas d'accord avec vous, mais, en ce qui vous concerne, il vaut sans doute mieux que vous ne vous engagiez pas. Vous avez très bien tenu le coup, même après avoir eu la jambe démolie, vous êtes resté neutre.

— Il arrive toujours un point où l'on change, dis-je, un moment d'émotion...

— Vous ne l'avez pas encore atteint. Je doute que vous y arriviez jamais. Et je ne crois pas non plus que rien me fasse changer... sauf la mort, ajouta-t-il allégrement.

— Pas même après ce que vous avez vu ce matin ? N'y a-t-il pas là de quoi changer d'attitude ?

— Ce n'étaient que des victimes de la guerre, dit-il. C'est triste, mais il n'est pas toujours possible, quand on tire, d'atteindre son objectif. En tout cas, ils sont morts pour la bonne cause.

— En diricz-vous autant s'il s'agissait de votre vieille nourrice qui faisait des tartes aux airelles ?

Il ne fit aucun cas de mon argument facile.

— En un sens, on pourrait dire qu'ils sont morts pour la démocratie, dit-il.

— Je serais incapable de traduire cela en vietnamien, dis-je.

Je me sentis brusquement très fatigué. J'avais hâte qu'il s'en aille mourir. Après, je pourrais recommencer à vivre, au point où en était ma vie avant son arrivée.

— Vous ne me prendrez jamais au sérieux, je crois, Thomas. (Il s'en plaignait avec ce rire de potache qu'il semblait avoir gardé sous cape pour cette nuit d'entre les nuits.) Écoutez : Phuong est au cinéma. Si nous passions toute la soirée ensemble, vous et moi ? Je n'ai rien à faire. (On aurait dit que, de l'extérieur, quelqu'un lui soufflait les mots, afin de me priver de toute excuse possible.) Pourquoi ne pas aller au Chalet ? Je n'y suis pas retourné depuis ce fameux soir. La nourriture y est aussi bonne qu'au Vieux-Moulin et il y a de la musique.

— J'aime mieux ne plus penser à ce soir-là, dis-je.

— Pardon. Je suis vraiment idiot par moments, Thomas. Mais que diriez-vous d'un dîner chinois à Cholon ?

— Pour qu'il soit bon, il faut le commander d'avance. Avez-vous peur du Vieux-Moulin, Pyle ? Il est bien grillagé et il y a toujours de la police sur le pont. Et j'espère que vous ne feriez pas la sottise de traverser Dakow ?

— Oh ! ce n'est pas cela. Je pensais seulement que ce serait amusant de passer toute une longue soirée ensemble.

Il fit un geste et renversa son verre qui s'écrasa sur le plancher.

— Ça porte bonheur, dit-il machinalement. Excusez-moi, Thomas.

Je me mis à ramasser les morceaux que j'empilai dans le cendrier.

— Qu'en dites-vous, Thomas ?

Le verre brisé me fit penser aux bouteilles du bar qui s'étaient vidées de leur contenu, au Pavillon.

— J'ai prévenu Phuong que je sortirais sans doute avec vous.

Comme ce mot « prévenu » était mal choisi ! Je ramassai le dernier éclat de verre.

— J'ai un rendez-vous au Majestic, dis-je, et je ne pourrai me libérer que pour neuf heures.

— Bon. Dans ce cas, je pense que je vais rentrer au bureau. Seulement, j'ai toujours peur qu'ils me trouvent une corvée à faire.

Pourquoi ne pas lui laisser cette chance ?

— Ne craignez pas d'arriver en retard, dis-je. Dans le cas où l'on vous épinglerait au bureau venez me voir ici plus tard. Je rentrerai à dix heures pour vous attendre, si vous ne pouvez pas venir dîner.

— Je vous avertirai...

— Ne prenez pas cette peine. Venez au Vieux-Moulin ou retrouvez-moi ici.

Je remettais la décision entre les mains de celui en qui je ne croyais pas : vous pouvez intervenir si vous voulez, un télégramme sur son bureau, un message du ministre. Il est impossible que vous existiez si vous n'avez pas le pouvoir de modifier l'avenir.

— Allez-vous en maintenant, Pyle. J'ai à faire.

En entendant son pas s'éloigner, accompagné du trottinement des pattes de son chien, je me sentais épuisé d'une étrange fatigue.

3

Il m'eût fallu remonter vers la rue d'Ormay pour trouver un cyclo-pousse, quand je sortis. J'allai donc à pied jusqu'au Majestic et je restai un moment à regarder décharger des bombardiers américains. Le soleil avait disparu et le travail se faisait à la lueur des lampes à arc. Je n'avais pas du tout l'intention de me créer un alibi, mais j'avais dit à Pyle que j'allais au Majestic et j'éprouvais une instinctive répugnance pour les mensonges inutiles.

— Bonsoir, Fowler.

C'était Wilkins.

— 'Soir.

— Comment va la jambe ?

— Je ne la sens plus.

— Vous avez pu envoyer un bon article ?

— J'ai laissé cela à Dominguez.

— Comment ! On m'a dit que vous y étiez.

— Oui, j'y étais. Mais la place manque, de nos jours. Ils se contenteront de peu.

— Tout est servi à la même sauce, hein ? dit Wilkins. Que n'avons-nous vécu au temps de Russell et du vieux *Times*. Les dépêches envoyées par ballon. On avait le temps de fignoler ses articles.

Il aurait fait un papier de cet endroit-ci : le palace, les bombardiers, la nuit qui tombe. La nuit ne tombe jamais à présent, à tant de piastres le mot. De très haut dans le ciel, nous parvinrent des rires : quelqu'un avait cassé un verre, comme Pyle. Ce fut une pluie de sons semblable à du grésil.

— « *The lamps shone o'er fair women and brave men*[1] », cita Wilkins d'un air malveillant. Que faites-vous ce soir, Fowler ? Voulez-vous casser la croûte avec moi ?

— Je vais dîner, figurez-vous. Au Vieux-Moulin.

— Je vous souhaite bien du plaisir : Granger y sera. Ils devraient faire une publicité spéciale pour les galas Granger. Il y a des gens qui aiment les fonds sonores !

Je lui souhaitai le bonsoir et entrai dans le cinéma voisin. Errol Flynn, à moins que ce ne fût Tyrone Power (je

1. Les lampes brillaient sur des femmes belles et des hommes braves. (Byron.)

n'ai jamais pu les distinguer en maillot collant) se balançait à des cordes, sautait du haut d'un balcon et montait un cheval à cru dans des aubes de technicolor. Il sauvait une jeune fille, tuait son ennemi, tandis que sa propre vie était protégée par un charme. C'était ce qu'on appelle un film pour la jeunesse, mais le spectacle d'Œdipe surgissant les yeux crevés et sanglants de son palais de Thèbes les préparerait certainement mieux à la vie actuelle. Aucune vie n'est protégée par un charme. La chance était du côté de Pyle à Phat Diem et sur la route de Tanyin, mais la chance ne dure pas, et l'on saurait dans deux heures que les charmes sont sans pouvoir. Un soldat français était assis près de moi, la main posée sur les genoux d'une fille, et j'enviais la simplicité de son bonheur ou de sa détresse, que ce soit l'un ou l'autre. Je n'attendis pas la fin du film. Je pris un pousse et me fis conduire au Vieux-Moulin.

Le restaurant était entouré de grilles contre les grenades et deux agents de police armés étaient en faction à l'entrée du pont. Le patron devenu obèse à force de manger sa propre généreuse cuisine bourguignonne me fit traverser les grilles lui-même. Dans la lourde chaleur du soir, l'odeur des chapons et du beurre fondu imprégnait le restaurant.

— Faites-vous partie du groupe de M. Granjer ? me demanda-t-il.

— Non.

— Un seul couvert ?

Ce fut à ce moment-là que pour la première fois je pensai à l'avenir et aux questions auxquelles je devrais peut-être répondre.

— Un seul, dis-je.

Et c'était presque comme si j'avais annoncé tout haut que Pyle était mort.

Il n'y avait qu'une salle, au fond de laquelle Granger et ses invités occupaient une grande table. Le patron m'en donna une petite tout près du grillage. Les vitres avaient été enlevées par crainte des éclats de verre. Je reconnus quelques personnes parmi les amis de Granger et je les saluai avant de m'asseoir. Quant à Granger, il détourna les yeux. Je ne l'avais pas vu depuis des mois, une fois seulement depuis le soir où Pyle était tombé amoureux. Peut-être une parole blessante prononcée par moi ce soir-là avait-elle pénétré jusqu'à lui à travers les brouillards de l'alcool, car il présidait la table d'un air renfrogné tandis que Mme Desprez, la femme de l'officier chargé des « public relations », et le capitaine Duparc du service de liaison de la presse faisaient des signes de tête approbateurs. Il y avait un homme corpulent qui était, je crois, hôtelier à Pnom Penh, une jeune Française que je n'avais jamais vue et deux ou trois autres dont je n'avais fait qu'apercevoir le visage dans des bars. Pour une fois le dîner s'annonçait paisible.

Je commandai un pastis parce que je voulais laisser à Pyle le temps de venir... Il arrive qu'un projet soit dérangé, et tant que je n'aurais pas commencé à dîner, il me semblait avoir encore le temps d'espérer. Puis je me demandai ce que je souhaitais. Bonne chance aux OSS si c'était le nom de sa clique ? Longue vie aux bombes de plastic et au général Thé ? Ou bien, espérais-je (moi, entre tous les hommes !) une sorte de miracle : une méthode de persuasion inventée par Mr Heng et qui ne serait pas simplement la mort ? Comme cela aurait facilité les choses si nous avions été tués tous les deux sur la route de Tanyin ! Je fis durer mon pastis pendant vingt minutes, puis je commandai à dîner. Il était presque neuf heures et demie. Il ne viendrait plus.

Contre ma volonté je tendais l'oreille : pour entendre quoi ? un cri ? une détonation ? un mouvement des policiers près du pont ? mais, de toute manière, je n'aurais probablement rien entendu, car les invités de Granger commençaient à s'animer. L'hôtelier, qui avait une voix inexperte mais agréable, se mit à chanter et au moment où un nouveau bouchon de champagne sauta, d'autres se joignirent à lui, mais pas Granger. Il restait immobile, ses yeux injectés de sang fixés sur moi, d'un bout de la salle à l'autre, d'un air menaçant. Je me demandais si nous allions nous colleter. Je n'étais pas de force à me mesurer avec Granger.

Ils chantaient une chanson sentimentale, et tandis que je contemplais sans appétit ma modeste portion de *Chapon Duc Charles*, je pensai à Phuong pour la première fois depuis que j'avais appris qu'elle était saine et sauve. Je me rappelai Pyle, assis par terre, quand nous attendions les Viets, Pyle me disant : « Elle est fraîche comme une fleur. » Et j'avais rétorqué d'un ton désinvolte : « Pauvre fleur. » Et voilà qu'elle ne verrait jamais la Nouvelle-Angleterre et ne serait jamais initiée aux secrets de la canasta. Peut-être ne connaîtrait-elle jamais la sécurité : de quel droit lui avais-je accordé moins de valeur qu'aux morts de la place ? La souffrance ne se multiplie pas par le nombre : un seul corps peut contenir toute la souffrance du monde. J'avais jugé comme un journaliste, qui évalue en quantité, et j'avais trahi mes propres principes ; j'étais désormais aussi engagé que Pyle, et il me semblait qu'aucune décision ne serait plus jamais simple. Je regardai ma montre : il était près de dix heures moins le quart. Peut-être, après tout, avait-il été retenu à son bureau ; peut-être ce « quelqu'un » en qui il croyait s'était-il manifesté en sa faveur et était-il assis en ce moment devant sa table, à la légation, occupé à déchiffrer avec peine un télégramme en code ; dans un moment, il grimperait quatre à quatre mon escalier de la rue Catinat. « Si les choses se passent ainsi, pensai-je, je lui dirai tout. »

Brusquement, Granger se leva, quitta sa table et vint à moi. Il ne vit même pas une chaise qui lui barrait le chemin, trébucha et se retint en posant la main sur le bord de ma table.

— Sortons ensemble, Fowler, dit-il.

Je mis à côté de mon assiette l'argent de mon repas et le suivis. Je n'étais pas d'humeur à me battre avec lui, mais à ce moment-là il m'eût été indifférent qu'il me rouât de coups. Nous possédons si peu de moyens pour apaiser le sentiment de notre culpabilité !

Il s'appuya au parapet du pont et de loin les deux policiers le regardèrent.

— Il faut que je vous parle, Fowler, dit-il.

J'avançai à portée de son poing et j'attendis. Il ne fit pas un mouvement. On aurait dit une statue symbolisant tout ce que je croyais détester dans la nation américaine, aussi mal dessinée, aussi dénuée de sens que la statue de la Liberté.

— Vous croyez que je suis soûl, dit-il, sans bouger. Vous vous trompez.

— Que se passe-t-il, Granger ?

— Il fallait que je vous parle, Fowler. Je ne peux pas rester assis en compagnie de ces Grenouillards ce soir. Je ne vous aime pas, Fowler, mais vous parlez anglais. Une espèce d'anglais.

Il restait appuyé, énorme et informe dans la pénombre, semblable à un continent inexploré.

— Que voulez-vous ?

— Je n'aime pas les Angliches. Je ne sais pas comment Pyle arrive à vous blairer. Peut-être parce qu'il est de Boston. Moi, je suis de Pittsburgh, et j'en suis fier.

— Pourquoi pas ?

— Bon. Vous recommencez ! (Il me fit écho, essayant sans grand succès d'imiter mon accent.) Vous parlez tous comme des cabots. Vous faites de l'esbroufe, avec ça. Vous croyez tout savoir.

— Bonsoir, Granger. J'ai un rendez-vous.

— Ne partez pas, Fowler. Soyez bon zigue. Je ne peux pas causer avec ces Grenouillards.

— Vous êtes ivre.

— J'ai bu deux verres de champagne, voilà tout. Mais vous seriez ivre à ma place : il faut que je parte dans le Nord.

— Et puis après ?

— Oh ! je ne vous l'ai pas encore dit ! Je m'imagine que tout le monde est au courant. J'ai eu un câble de ma femme ce matin.

— Ah ! oui ?

— Mon fils a une paralysie infantile, il est très mal.

— Je suis désolé.

— Ne vous forcez pas. C'est pas votre gosse.

— Vous pourriez prendre un avion.

— Je ne peux pas. Ils veulent un papier sur je ne sais quelle nom de Dieu d'opération de nettoyage près de Hanoï et Connolly est malade. (Connolly était son assistant.)

— Je suis désolé, Granger. Je voudrais pouvoir faire quelque chose…

— C'est son anniversaire ce soir. À dix heures et demie, de notre heure, il aura huit ans. C'est pour ça que j'avais organisé un dîner au champagne… avant de savoir. Il fallait que j'en parle à quelqu'un, Fowler, et je ne peux pas me confier à ces Grenouillards.

— Les médecins soignent bien la polio actuellement.

— S'il reste infirme, ça m'est égal, Fowler. Du moment qu'il vit. Moi, si j'étais infirme, je ne serais plus bon à rien, mais le petit est intelligent. Savez-vous ce que je faisais pendant que cette espèce de crétin poussait la romance ? Je priais. Je pensais que si Dieu voulait une vie, il pouvait prendre la mienne.

— Vous croyez donc en Dieu ?

— Je voudrais bien y croire, dit Granger.

Il se passa la main, à plat, sur la figure, comme s'il avait mal à la tête, mais c'était en réalité pour que je ne voie pas qu'il essuyait des larmes.

— Je prendrais une bonne cuite si j'étais vous, lui dis-je.

— Oh ! non, il faut que je garde toute ma tête. Je ne voudrais pas vivre ensuite avec la pensée que j'étais soûl comme une bourrique la nuit où mon petit garçon est mort. Et ma femme ? Elle ne peut pas boire, elle.

— Ne pourriez-vous pas dire aux gens de votre journal…

— Connolly n'est pas malade du tout. Il est parti après une poule à Singapour. Il faut que je rédige ses trucs. Si ça se savait, il serait vidé. (Il ramassa son corps informe.) Excusez-moi de vous avoir retenu, Fowler. Il fallait absolument que j'en parle à quelqu'un. Maintenant je vais rentrer et porter des toasts. C'est drôle que je sois tombé sur vous, vous qui me détestez comme la peste.

— Je pourrais écrire vos communiqués. Je les ferais passer pour du Connolly.

— Vous n'y mettriez pas le bon accent.

— Je ne vous déteste pas, Granger. J'ai été aveugle à bien des choses.

— Oh ! vous et moi, c'est comme chien et chat. Mais je vous remercie de votre sympathie.

« Suis-je si différent de Pyle, me demandai-je. Faudra-t-il me forcer, moi aussi, à mettre le pied dans le sanglant gâchis de la vie avant que j'en perçoive la souffrance ? » Granger rentra dans la salle et j'entendis les cris d'accueil qui saluèrent son retour. Je trouvai un cyclo-pousse qui me ramena chez moi. Il n'y avait personne, je m'assis et attendis jusqu'à minuit. Je descendis ensuite sans le moindre espoir dans la rue où je trouvai Phuong.

Chapitre 3

— Est-ce que M. Vigot est venu te voir ? demanda Phuong.

— Oui. Il est parti il y a un quart d'heure. Le film était-il bon ?

Elle avait déjà disposé le plateau dans la chambre et elle était en train d'allumer la lampe.

— Une histoire très triste, dit-elle, mais les couleurs étaient ravissantes. Que voulait-il, M. Vigot ?

— Il voulait me poser quelques questions.

— À quel sujet ?

— Au sujet de choses et d'autres. Je crois qu'il ne reviendra plus m'ennuyer.

— J'aime surtout les films qui se terminent bien, dit Phuong. Es-tu prêt à fumer ?

— Oui.

Je m'allongeai sur le lit et Phuong se mit à faire tourner son aiguille.

— Ils ont coupé la tête de la jeune fille, dit-elle.

— Quelle étrange façon d'agir !

— C'était pendant la Révolution française.

— Oh ! un film historique. Je vois.

— C'était tout de même triste.

— Je suis incapable de me faire du souci pour des personnages historiques.

— Et son amoureux... il est retourné dans sa mansarde... et il était très malheureux, et il a écrit une chanson, parce que, tu sais, c'était un poète, et bientôt tous les gens qui avaient coupé la tête de sa fiancée se sont mis à chanter sa chanson : c'était *La Marseillaise*.

— Ça n'a pas l'air très historique !

— Il était là, au premier rang de la foule, pendant que les gens chantaient et il les écoutait avec un air plein d'amertume, et quand il souriait on savait qu'il était encore plus amer parce qu'il pensait à elle. J'ai beaucoup pleuré et ma sœur aussi.

— Ta sœur ? Je ne peux pas le croire.

— Elle est très sensible. Granger, cet horrible type, était là. Il était ivre et il n'a pas cessé de rire. Mais ce n'était pas drôle du tout, c'était triste.

— Je comprends Granger, dis-je. Il a quelque chose à fêter : son fils est hors de danger. Je l'ai entendu dire aujourd'hui au Continental. J'aime les dénouements heureux, moi aussi.

Quand j'eus fumé deux pipes je me laissai aller en arrière, le cou posé sur le coussinet de cuir, et je mis ma main dans le giron de Phuong.

— Es-tu heureuse ?

— Bien sûr, répondit-elle avec insouciance.

Je ne méritais pas une réponse plus réfléchie.

— Tout est comme autrefois, dis-je mensongèrement. Comme il y a un an.

— Oui.

— Il y a longtemps que tu n'as pas acheté d'écharpe. Pourquoi n'irais-tu pas dans les magasins demain ?

— C'est un jour de fête.

— Oh ! oui, naturellement. J'oubliais.

— Tu n'as pas ouvert ton télégramme, dit-elle.

— Non. J'ai oublié cela aussi. Je n'ai pas envie de penser au travail ce soir. Il est trop tard pour faire partir une dépêche. Parle-moi encore du film.

— Eh bien ! l'amoureux a tenté de la faire évader de sa prison. Il lui a fait parvenir des habits d'homme et un bonnet comme celui que portait le geôlier ; mais au moment même où elle franchissait la grille, ses longs cheveux se sont défaits et tout le monde a crié : « Une aristocrate, une aristocrate ! » Je trouve qu'ils ont fait une erreur à ce moment-là. Ils auraient dû la laisser échapper. Alors, tous les deux, ils auraient gagné beaucoup d'argent avec la chanson et ils seraient partis très loin, en Amérique... ou en Angleterre, ajouta-t-elle, avec ce qu'elle crut être de l'astuce.

— Je ferais tout de même bien de lire ce télégramme. Pourvu, mon Dieu, qu'on ne m'envoie pas dans le Nord demain ! Je veux rester sans bouger, auprès de toi.

Elle dégagea l'enveloppe coincée entre les pots de crème et me la donna.

Je l'ouvris et lus :

Ai réfléchi longuement à votre lettre stop vais prendre comme vous l'espériez décision déraisonnable stop ai demandé mon avocat entamer procédure divorce motif abandon stop Dieu vous bénisse affection Hélène.

— Tu es forcé de partir ?

— Non, dis-je. Je ne suis pas forcé de partir. Lis. Toi qui aimes ce qui se termine bien.

Elle sauta du lit.

— Mais c'est merveilleux ! Il faut que j'aille l'annoncer à ma sœur. Elle sera tellement contente ! Je vais lui dire : « Sais-tu qui je suis ? Je suis la seconde Mrs Foulair. »

En face de moi, sur l'étagère, *The Role of the West* se détachait, tel le portrait, format album, d'un jeune homme aux cheveux coupés court comme ceux d'un marin, un chien noir sur les talons. Il ne pouvait plus faire de mal à personne.

— Est-ce qu'il te manque beaucoup ? demandai-je à Phuong.

— Qui ?

— Pyle.

C'est étrange, même alors, même en parlant à Phuong, il m'était impossible de le désigner par son prénom.

— S'il te plaît, puis-je partir ? C'est une si grande nouvelle pour ma sœur.

— Tu as prononcé son nom une nuit, dans ton sommeil.

— Je ne me rappelle jamais mes rêves.

— Il y a tant de choses que vous auriez pu faire ensemble. Il était jeune.

— Tu n'es pas vieux.

— Les gratte-ciel. La statue de la Liberté.

Elle dit, d'une voix un peu hésitante :

— J'ai envie de voir les gorges de Cheddar[1].

— Ce n'est pas le grand cañon du Colorado. (Je l'attirai sur le lit.) Je regrette, Phuong.

— Tu n'as rien à regretter. C'est un merveilleux télégramme. Ma sœur…

— Oui, va le raconter à ta sœur. Mais, d'abord, embrasse-moi.

Dans son agitation, elle laissa sa bouche déraper sur ma figure et elle s'enfuit.

Je pensai à ce premier jour où Pyle, assis à côté de moi au Continental, avait fixé les yeux sur le *milk-bar* d'en face. Tout m'avait réussi depuis sa mort, mais comme j'aurais voulu qu'il existât un être à qui j'eusse pu faire la confidence de mes regrets !

---

1. Site célèbre dans le Somerset (Angleterre).

Impression réalisée sur Presse Offset par

BRODARD & TAUPIN

GROUPE CPI

La Flèche (Sarthe), 20996
N° d'édition : 2670
Dépôt légal : mai 1996
Nouvelle édition : août 2003
Nouveau tirage : octobre 2003

Imprimé en France